MOLLY'S DAGBOEK: PAARDEN & PASSIE

Omslag: Studio Blos
Binnenwerk: Mat-Zet bv, Soest
Druk: Practicum, Soest

ISBN 978-94-6204-082-3

© 2013 Uitgeverij Cupido
Postbus 220
3760 AE Soest
www.uitgeverijcupido.nl
http://twitter.com/UitgeveryCupido
http://uitgeverijcupido.hyves.nl

SANDRA BERG

Molly's dagboek
PAARDEN & PASSIE

Uitgeverij Cupido

Mijn opbrengst van dit boek gaat volledig naar het Brooke Hospital for Animals Nederland.

Brooke helpt werkpaarden en -ezels van straatarme mensen in ontwikkelingslanden.
De toegewijde lokale dierenartsen en Brooketeams geven gratis diergeneeskundige hulp, voorlichting en cursussen aan gemeenschappen in Egypte, India, Pakistan en Jordanië.

Het doel van Brooke is om met de bewezen duurzame oplossingen duizenden werkpaarden en -ezels te helpen, evenals de eigenaars die van deze dieren afhankelijk zijn, daar waar dit het hardst nodig is.
Dit wordt onder meer bereikt door partnerschappen aan te gaan met lokale dierenhulporganisaties en oplossingen met hen te delen.

Sandra Berg

Ga voor meer info over
Brooke Hospital for Animals Nederland
naar http://www.brooke.nl

PROLOOG

Ik ben Molly, negenentwintig jaar, en ik woon in Zweden. Zes jaar geleden ben ik uit Nederland vertrokken met mijn grote liefde Ritchy, die achteraf toch niet dé liefde van mijn leven bleek. Of beter gezegd: ik niet die van hem, aangezien hij vier maanden geleden iets met een ander begon. Met een Zweedse nog wel. Een cliché dus. Ik haat cliché's.

Ik had het huis – waar we ons knusse nest hadden gebouwd – kunnen opeisen, maar koos voor een gezellige timmerstuga – een huis gebouwd met houten balken – in een gehucht van dertien huizen, dicht bij de bossen en met een wei achter het huis.

De wei hoort niet bij het huis, maar ik pacht hem van de buren.

Ik heb namelijk plaats nodig voor Fientje, mijn shetlander.

En voor Moesje en Typje. Moesje en Typje hebben natuurlijk ook plaats nodig. En bossen. Ze hebben absoluut bossen nodig.

Moesje is overigens een bastaardhondje met stippen en wat Typje precies voor een hond is, weet niemand. Zelfs zijn eigenaar niet.

Toen ik ernaar vroeg, zei hij: *"Han är type…"* Aha, dacht ik. Hij heet Type. Ik begreep later pas dat de beste man nog niet was uitgesproken en dat 'type' hier 'soort van…' betekent. Maar toen was het al te laat en luisterde de hond – zwart stekelvarkenhaar, wiporen en witte voeten – naar de naam 'Typje'. Als hij tenminste luistert. Wat niet altijd het geval is.

Kimmy verhuisde ook mee. Kimmy is een zwart-witte kat en Ritchy moet geen katten. Als hij wel gek op Kimmy was geweest, had ik haar natuurlijk evengoed meegenomen. Misschien had ik haar dan júíst meegenomen. Hij had tenslotte zijn Zweedse al.

Omdat ik serieus met Fientje wil trainen, een ongelooflijke band met haar wil opbouwen en zelfs een circuspony van haar wil maken, die ook nog voor de wagen kan en wellicht zelfs dressuur aan de lange teugel leert, heb ik besloten een dagboek te maken, waarbij ik de training – en al mijn vorderingen – vastleg.

En natuurlijk nog wat andere dingen.

Bij een dieetboek leg je tenslotte ook je gevoelens bloot. Noodzaak, beweren de goeroes. Waarom zou het bij een trainingsdagboek dan anders zijn?

VRIJDAG 20 MEI

Vandaag is de eerste dag van de rest van mijn leven.

Wie zei dat ook alweer? Eigenlijk slaat het nergens op, maar het klinkt lekker positief.

Vandaag is in ieder geval de eerste dag van mijn dagboek. Dat is iets wat ik zeker weet. En zekerheid is goed.

Niet dat het slecht met mij gaat… Integendeel.

Het gaat goed.

Ik ben een alleenstaande jonge vrouw met een leuke baan, een aardig huis in een verweg land – Zweden dus – twee honden, een kat en een pony met de naam Fien. Ik kan doen waar ik zin in heb.

Ik hoef met niemand rekening te houden en mijn ex, Ritchy, ben ik allang vergeten.

Het is vandaag vier maanden, twaalf dagen en vijf… nee, vijf en een halfuur geleden, dat hij een eind maakte aan onze relatie. Hij zei dat ik niet goed wijs was.

Maar Ritchy zei zo veel.

Er is niets mis met mij. Ik ben een sterke, alleenstaande vrouw. Als ik dat vaak genoeg herhaal, geloof ik het uiteindelijk zelf. Dat zei Gaby tenminste.

Gaby is mijn Nederlandse vriendin, die helaas nog in het waterlandje woont.

Maar we kletsen nog steeds heel wat af via telefoon en internet. En ze geeft nog steeds – gevraagd en ongevraagd – raad.

Het is vandaag prachtig weer. Bijna windstil en zonnig. Ik heb vanmorgen een uur met Moes en Typje over de hobbelige paadjes in het bos gewandeld, en heb met gevaar voor eigen leven stukken gerooid bos overwonnen op de plekken waar ooit paden waren, maar waar zware bosmachines nu een chaos van diepe kloven, half gevelde boomwortels en slordig rondgestrooide takken hebben achtergelaten en ik heb geprobeerd om daarvan te genieten. Maar mijn hoofd werkt niet altijd mee. Hele verhalen spelen zich af in de grijze cellen van mijn onbewuste bewustzijn of hoe dat dan ook mag heten. Ik voer gesprekken, beleef spannende zaken en maak ruzie. Er gebeurt heel wat in mijn hoofd. Maar ik vergeet wel eens dat er nog een wereld buiten dat hoofd is.

Waar was ik ook alweer gebleven? Oh ja, ik heb dus gewandeld met Moes en Typje. In het bos. Moes had natuurlijk weer iets gevonden om in te rollen. Ze rook naar dood beest en andere viezigheid en haar pels was bedekt met zwart kleverig spul, waarvan ik de herkomst liever niet weet. Ik heb haar onder de douche gezet en met warm water afgespoeld. Ze heeft een hekel aan kou. Moesje is een tropisch hondje, dat in het verkeerde land terecht is gekomen.

Warm water voor Moesje dus.

Nadat ik haar had gewassen, had ik een uur nodig om de douche schoon te schrobben. Alles zat vol met zwarte plaktroep.

Waarom heb ik eigenlijk dieren?

De rest van de dag heb ik doorgebracht met werken en met het eten van *tünbröd* (pannenkoekgevormd brood) met suiker. En met thee. Liters thee.

Morgen ga ik eindelijk Fientje halen. Fientje staat nog in de wei van de achterburen van mijn oude huis, samen met een paar pony's van een oude dame die de zorg niet meer zo goed aankan en het spul binnenkort moet verkopen.

De afgelopen weken heb ik mij uitgesloofd met het op orde brengen van mijn eigen wei en de stal en nu is het dan zover. Fientje komt naar huis.

Plaats genoeg. Te veel plaats eigenlijk, voor een kleine shetlander. Ik voel mij dus verplicht om er een paardje bij te kopen. Een shetlander, denk ik. Een paard hoort tenslotte niet alleen te staan.

Ik heb al honderd advertenties bekeken. Misschien ook een beetje meer.

Zoveel shetlanders gezien... Waarom mijn blik steeds blijft hangen bij die vijftienjarige zwarte ardenner, een uit de kluiten gewassen werkpaard, weet ik niet. Uiteindelijk heb ik mijn rijkleding jaren geleden al aan de wilgen gehangen, na een val met een paard in Zwitserland. Ik durf er niet meer op.

Eigenlijk besloot ik toen dat mijn carrière als paardenmeisje was afgelopen, maar paarden bleken een verslaving. Als ik paarden in de wei zag staan, keek ik ernaar zolang het lukte zonder met de auto de greppel in te duiken. En de geur van paarden? Hm... misschien is het wel zoiets als cocaïne snuiven. Volgens Ritchy ging ik er zelfs van hallucineren. Maar ja, wat weet hij nu?

Ik kocht Fientje dus; een heleboel paard in een heel kleine verpakking. Daar kwam ik achter nadat ik de tuin had omgeploegd met mijn lichaam, toen Fientje besloot dat ze zich van mij niet zoveel hoefde aan te trekken.

Fientje was de reden dat ik Parelli Horsemanship ging doen. Ik ontdekte Parelli twee jaar geleden. Meneer Pat Parelli en zijn vrouw Linda hadden een manier ontwikkeld voor het opbouwen van een veilige en natuurlijke paard-mensrelatie door communicatie, begrip en psychologie, die in schriftelijke stap-voor-stap lessen werden aangeboden. Hapklare brokken dus. Echt iets voor mij. En eerlijk is eerlijk, het was een openbaring.

Nu, na twee jaar studeren, filmpjes kijken en oefenen, ben ik ervan overtuigd dat ik veel meer van paarden weet dan ooit tevoren. Ik heb mijzelf er zelfs op betrapt dat ik in mijn fantasie op een paard zonder zadel en hoofdstel over het strand galoppeerde. Niet dat hier een strand is, maar toch… En dat is met een shetlander niet mogelijk. Met een ardenner misschien wel.

Maar er is natuurlijk een verschil tussen het trainen van Fientje, 80 cm hoog, en een ardenner van 160 cm. En toch… ze heeft zo'n lieve kop, hè?

ZATERDAG 21 MEI

Ik was vanmorgen al om vijf uur wakker. De zon scheen. Een prachtige eerste lentedag. Fientje zou naar huis komen.

Maar vijf uur is een onmenselijke tijd. Niemand staat op om vijf uur.

Bovendien was ik nog moe. Ik had de halve nacht gepiekerd over Fientje. Ze kwam naar huis, maar ik had nog steeds geen vriendje of vriendinnetje voor haar.

Logisch gezien was dat geen echt probleem. Een pony overleeft een paar dagen zonder soortgenoot heus wel en Sarah, de dochter van de buren, had aangeboden haar fokmerrie uit te lenen als gezelschap.

Maar logica is nooit mijn sterkste kant geweest en de fokmerrie van Sarah is een torenhoog opgewonden standje. Ze zou ongetwijfeld mijn Fientje vermorzelen.

Ik draaide nog een keer op mijn zij, maar mijn lichaam was al opgestart. Ik wist dat ik niet meer kon slapen.

Ik stond dus toch maar op en ontbeet bij mijn laptop, terwijl ik de advertenties nog maar een keertje doornam.

Op de een of andere manier belandde ik toch weer bij de ardenner.

Ze leek eigenlijk wel op een shetlander, maar dan een beetje erg veel groter.

Natuurlijk wilde ik geen ardenner kopen.

Maar een keertje bellen en wat informatie inwinnen, kon

geen kwaad. Dacht ik.

Rond de middag zat ik dus in de auto – een trouwe aftandse kanarigele Suzuki Samurai – en reed tweehonderd kilometer om een ardenner te bekijken die ik absoluut niet wilde kopen. En dat terwijl ik Fientje nog niet eens had opgehaald.

De ardenner bleek Thea te heten – ze is vast niet Zweeds van oorsprong – en was veel te groot en veel te breed. Bovendien kon ze bijna niets. Ze was vijftien jaar oud, maar had alleen in haar jonge jaren hout gesleept en met kleine kinderen op de rug rondgesjouwd. Honderd procent betrouwbaar, vertelde de eigenaar – een kleine man zonder tanden – stralend van trots. Hij was graag bereid om haar meteen te brengen, liet hij weten. Hij grijnsde erbij.

Maar wat moest ik in hemelsnaam met een kasteel van een paard dat niets kon?

Ik kocht haar natuurlijk toch en reed zingend naar huis. Zingen is geen sterke kant van mij, maar niemand hoorde het, dus kon het. Al kreeg ik wel even een rood hoofd toen een man met een Fiat mij passeerde, daarbij naar mij keek en even fronste.

Fientje haalde ik na het avondeten – een soort groenteomme-let naar eigen recept, met veel kaas – met de fiets op. Natuur-lijk gedroeg Fientje zich voorbeeldig op weg naar haar nieu-we thuis. Ze sprong maar een keer de greppel in, waarbij ik met de fiets achter haar aan dook, maar we overleefden het al-lebei en ik wist haar er na drie kilometer zelfs van te overtuigen dat we echt nog een stukje verder moesten dan het plekje waar ze zeer beslist de ankers had uitgegooid. Een zak wortelen en een kilo appels bleken goede hulpmiddelen.

In ieder geval tot ongeveer zeshonderd meter voor mijn huis. Toen had ze ver genoeg gelopen, vond ze.

Ik moest haar dat laatste stuk voorttrekken over de straat, de fiets onhandig meeslepend. En dat alles onder toeziend oog van de lachende boeren in de omgeving.

"Je moet dat beest onder zijn kont schoppen," meende Sarah, toen ik haar huis passeerde. "Ze moet weten wie de baas is."

"Dat weet ze al," zei ik vermoeid. En dat is ook zo. Fientje weet precies wie de baas is. Zij.

Mijn nieuwe aanwinst kwam een halfuurtje later. Ik zag Sarah op afstand toekijken, toen Thea een oude kleine gammele vrachtwagen uit denderde. Haar eigenaar bungelde vrolijk ergens aan het andere eind van het touw.

"Waar moet ze naartoe?" vroeg hij, terwijl hij zijn hakken in de grond probeerde te planten in een vruchteloze poging Thea uit mijn tuintje te houden.

"De wei. De wei." Ik wees paniekerig naar de wei en zag hoe Thea's voeten indrukwekkende putten in mijn keurige grasveldje creëerden.

"Ah, de wei." Het leek voor hem als een verrassing te komen. Heel even verwachte ik dat hij het touw, met daaraan Thea, in mijn hand zou duwen en haastig zou vertrekken. Maar ik had hem nog niet betaald dus dat deed hij niet. Maar ik zag dat hij het had wíllen doen.

Hij probeerde Thea ervan te overtuigen dat ze echt met hem mee moest, maar Thea bliefde liever het gras in mijn tuin. In ieder geval totdat ze Fientje zag.

Ze hinnikte enthousiast en dreunde in een mak drafje richting wei, totaal niet gehinderd door haar bijna ex-eigenaar aan de andere kant van het touw.

Heel even vreesde ik voor Fientjes leven toen de man het zwarte monster in mijn wei los liet. Maar dat bleek onterecht. Thea mocht Fientje en Fientje mocht Thea. Fientje is erg sociaal. Zolang het maar duidelijk is dat zij de baas is in de wei. Daarover liet ze ook nu geen twijfel bestaan.

Thea vond het best.

"Wat is dat?" vroeg Sarah later, toen ze ongevraagd een kijkje kwam nemen.

"Een vriendinnetje voor Fientje," vertelde ik.

"Ah. Waarom koop je zoiets?" Ze trok een vies gezicht. "Waarom geen rijpaard? Daar heb je tenminste iets aan."

"Aan een ardenner heb je meer," beweerde ik. "Daar kun je mee rijden en mennen en je kunt haar het zware werk laten doen."

"Met dat daar kun je volgens mij helemaal niets," meende Sarah met een knikje in de richting van Thea.

Nu had ik al vanaf het begin mijn bedenkingen bij Sarah. Ze is geen moment onvriendelijk tegen mij geweest, maar ze is veel te knap – slank, blond en het gezicht van Agnetha van Abba – tegenover mij: te klein, te mollig en schouderlang op stro lijkend haar. En ze heeft een arrogante uitstraling. Misschien is ze ook alleen zelfverzekerd, maar ik wantrouw per definitie zelfverzekerde mensen.

Ik wantrouw dus ook Sarah. Het mag duidelijk zijn, dat mijn beeld van Sarah op dat moment bepaald niet verbeterde.

"Ze kan alles," beet ik haar, misschien iets te pinnig, toe. Ik was tenslotte moe.

Sarah scheen mijn kribbigheid niet eens op te merken. "Ze heeft geen manieren," vond ze. "Levensgevaarlijk."

"Ik ga haar trainen."

Sarah wierp mij een zeer bedenkelijke blik toe. "Ah," zei ze. Strikt genomen zei ze niets verkeerd, maar het voelde als een regelrechte belediging. "Succes daarmee." Ze draaide zich om en vertrok.

En daarmee wist ik definitief dat ik haar niet mocht.

Sarah was een rijkeluis kind met een stal vol dure paarden. Wat wist zij nu?

Ik wierp nog een laatste blik op mijn gehavende tuin en ging naar binnen.

Nu zit ik aan de oude tafel in de woonkamer en kijk ik door het raam naar buiten. De ondergaande zon kleurt de horizon rood en tekent een gouden rand om de vredig, zij aan zij, grazende paarden.

Het kan toch onmogelijk een verkeerde zet van mij zijn geweest? Toch?

ZONDAG 22 MEI

Vanmorgen bijna uitgeslapen. Het was zes uur, toen ik wakker werd.

Volop zon en een blauwe hemel. Kan het beter?

Toen ik door mijn slaapkamerraam naar buiten keek, lagen Fientje en Thea – half verscholen in een lichte ochtendnevel – in de wei languit te dutten, lekker dicht bij elkaar.

Ik heb daar minstens tien minuten gestaan en naar mijn sprookjespaarden, de rustig kabbelende rivier achter de wei en de horizon met bomen en gekleurde huisjes gekeken. Het geheel straalde een zeldzame rust uit.

Na mijn ontbijt heb ik thee gedronken op een rotsblok in de wei bij de paarden.

Sarah was verderop al druk in de weer.

Ze had een zwart heethoofd opgezadeld, die op de plaats stond te dansen. Sarah was echter vliegensvlug met opstappen. Ze zat in het zadel voordat de zwarte de kans kreeg om de benen te nemen. Beetje jammer.

Ik dacht aan de wijze woorden van Parelli en een handvol andere paardentrainers die ik op de voet volg: Een paard dat niet blijft staan tijdens het opstijgen, geeft daartoe geen toestemming. Het voelde goed te weten dat Sarah het verkeerd deed. Domme Sarah.

Ik zag hoe ze het zwarte mormel in toom hield terwijl ze naar de rijbak reed en daar zowaar – helaas – erin slaagde het beest te laten doen wat ze wilde. De zwarte protesteerde hier en daar aardig, maar daar trok ze zich niets van aan. De keren dat hij het te bont maakte, kreeg hij een tik.

Volledig onterecht, natuurlijk.

Dat haar paard uiteindelijk wel deed wat ze wilde – iets wat ik dan weer niet altijd van Fientje kan zeggen – negeerde ik maar even.

Maar wat ik niet negeerde was de jonge man die bij de rijbak stond en naar Sarah keek.

Ik had hem nooit eerder gezien. Hij zag er leuk uit. In ieder geval vanaf een afstand.

Een meter vijfentachtig lang, schatte ik. Leuke bouw en aardig gezicht. Hij droeg een petje, wat hem een jongensachtige uitstraling gaf.

Terwijl ik mijn best deed om de nieuwkomer nauwkeurig te bestuderen, stak Fientje onverwacht haar kop onder mijn arm door omdat ze een dringende behoefte voelde aan aandacht en kriebels. Mijn mok thee vloog door de lucht, maakte een salto en goot zijn best wel hete inhoud uit over mijn schoot.

Geschrokken sprong ik overeind en voerde een soort indianendans uit. Het hielp niet tegen de pijn.

Ik trok daarmee echter wel de aandacht van de jonge man bij Sarah.

Verbijsterd keek hij naar mij en ik hoorde Sarah zelfs op afstand bijna grinniken. Mijn hoofd werd natuurlijk rood. Ik zag het zelf niet – er is tenslotte geen spiegel in de wei – maar ik voelde het des te beter.

Ik wendde mij haastig van hem af, wilde weg lopen en botste tegen Fientje op, die mij de pas afsneed omdat ik haar nog steeds niet had gekriebeld.

Ik gaf haar een snelle kriebel en vluchtte de wei uit.

Thea bekeek het hele gebeuren vanaf een gepaste afstand en ik zag haar denken: is dat nu mijn nieuwe baas? Heb ik weer…

En daarmee had de ochtend iets van zijn magie verloren.

Ik voelde mij een beetje belabberd toen ik mij binnen weer omkleedde. Ik had vandaag uren in de wei willen doorbrengen zodat Thea mij leert kennen. *Undemanding time*, zoals meneer Parelli het noemt. Maar daar is dus niet al te veel van terecht gekomen. Niet op dat moment en niet later op de dag, want ik kon het niet laten om naar High Chaparall, het wilde westen van Småland, te gaan.

De westernstad heeft gisteren de poorten voor het seizoen geopend en dat is iets waar ik elk jaar opnieuw naar uitkijk. Ik hou van de sfeer van het stadje. Op het moment dat je door de poort loopt, lijkt het alsof je een Westernfilm binnen wandelt. De houten huizen en gebouwen zoals saloons, smederij, bank, schoenmaker, schooltje en station zijn knappe immitaties uit het oude Wilde Westen en de stoomtrein maakt de sfeer helemaal af. En natuurlijk zijn er paarden. Overal. In de stallen, op straat, voor de postwagen. Werkelijk overal. Fanatieke westernliefhebbers – van 0 tot 99 jaar – brengen maanden door op het terrein van het park, uitgedost als cowboys, trappers, mexicanen en indianen. Op gezette tijden trekt de

tijdelijke bevolking van het stadje en de dagjesmensen in ge-
bloemde knielange katoenen broeken naar de arena van River
City om de spectaculaire westernshow met stuntmannen te
bezoeken of indianendansen te bewonderen in de indianen-
nederzetting.

Ik geniet graag van het mensen-kijken in High Chaparall op
een terrasje met een wafel met jam en slagroom of een softijs-
je met van die chocoladekorrels erop voor mijn neus. Allebei
kan natuurlijk ook. En dat heb ik vandaag dus ook gedaan.

Op de terugweg ben ik nog even de ICA supermarkt binnen
gelopen. Handig, dat de winkels hier zelfs op zondag open
zijn.

Tegen de tijd dat ik thuis kwam begon het te waaien en hoorde
ik in de verte wat donderslagen. Alsnog tijd in de wei doorbrengen, leek geen optie.

De bui heeft uiteindelijk toch niet doorgezet en de hemel is
weer helder. Maar nu is het te laat om nog naar buiten te gaan.
Bovendien heb ik mij pyjama al aan.

Ik denk dat ik me dadelijk met een mok mandarijntjesthee
voor de televisie verschans. Ik geloof dat er een komedie op
komt. Iets met Julia Roberts.

Wie zou trouwens de knapperd zijn, die bij Sarah stond te kijken?

MAANDAG 23 MEI

Een werkdag. Al die mensen die mij benijden omdat ik thuis werk en mijn eigen tijd in kan delen, hebben een te romantische voorstelling van het leven als illustrator.

Zelfs creatieve zielen, zoals ik, moeten centjes verdienen en derhalve werk afleveren. Ik doe dat bij voorkeur van maandag tot vrijdag, hoewel ik me tegenwoordig ook wel wat zijsprongen permitteer. Ik heb namelijk geen hekel aan mijn werk en zit de laatste vier maanden ook wel eens op zondag achter de werktafel.

Ritchy had er een hekel aan, als ik dat deed. Maar Ritchy is vertrokken. Weg.

En ik kan lekker doen waar ik zin in heb. Sinds vier maanden, vijftien dagen en zes uur. En een kwartier.

Ik zat vanmorgen dus ijverig te werken toen Typje voorbij wandelde en ik bijna van mijn stoel viel van de stank die als een zware wolk om hem heen hing. Het was alsof er een kudde dode beesten passeerde. Ik had hem nog wel afgespoeld toen we terugkwamen van de wandeling. Moes trouwens ook, want die had alweer in de viezigheid gerold en zag er bij thuiskomst uit als het verschrikkelijke moerasmonster.

Ik weet niet zeker of Typje het voorbeeld van Moes heeft gevolgd of dat het door de modderpoel kwam, waar hij vol overgave in dook…

Tijdens de wandeling honderden schone waterpoelen gezien,

maar Typje koos de enige uit die zo zwart was als de nacht, voor een verfrissende duik.

Ik denk dat ik niet wil weten hoe dat kwam dat die poel zo intens zwart was en wat zich onder dat troebele oppervlak bevond.

Ik dacht bij thuiskomst dat ik de modder met afspoelen kon verwijderen en tot op zekere hoogte was dat waar. De pootjes werden weer wit? Maar ik rook later dus dat schijn bedriegt. Ik heb hem dus maar onder de douche gezet. Die was toch nog smerig na Moesjes wasbeurt.

Het lijkt erop dat dit een dagelijks terugkerend ritueel wordt. Het werken schoot toch al niet op. Terwijl ik mijn post op de e-mail bekeek – nodig als je voor jezelf werkt en een goed excuus nodig hebt om het echte werk nog even uit te stellen – raakte ik afgeleid door de sites die zomaar plotseling tevoorschijn sprongen, en spullen voor paarden verkochten.

Goed, misschien sprongen ze niet helemaal zomaar tevoorschijn, omdat ik toch wat woordjes intypte die daarmee te maken hadden en de sites aanklikte, maar ik wilde echt alleen maar even snel kijken.

Ik verontschuldigde mijn eigen gedrag tegenover mezelf met de gedachte dat ik nu eenmaal spulletjes nodig had voor mijn nieuwe project, Thea. Een bitloos hoofdstel. Ik heb ijzer in de mond afgezworen vanaf het moment dat ik tijdens een kort verblijf in Nederland mijn volwassen neef zag leiden onder het juk van een beugel. En daar trok nog niet eens iemand aan!

Maar een bitloos hoofdstel voor een ander hoofd dat dat van een warmbloed of quarter leek niet beschikbaar. Het zoeken van een zadel was al even onmogelijk. Maatje ardenner scheen niet te bestaan. Een boomloos zadel misschien? Of een speciaal werkpaardenzadel? Ik zocht wat voor- en nadelen van de zadels op in verschillende forums en las een paar informatieve sites. Kortom... ik zat al uren te surfen totdat ik mijzelf stevig toesprak, een derde mok kant-en-klare choco-Mocha maakte en eindelijk aan het werk ging.

Ik had vandaag grondwerk willen doen met Fien en Thea, maar daar is dus niets van terechtgekomen. Ik moest als een idioot aan het werk om mijn dagopgave af te krijgen en daarna nog even aan de boekhouding te werken. Want met dat laatste ben ik ook alweer een maand te laat.
Nou ja, dan kan Thea nog een dagje extra wennen. Dat is alleen maar goed, neem ik aan.
Bovendien waait het de hele dag al heel erg hard. Wind maakt paarden nerveus.
En met een nerveuze tientonner wil ik niet werken.
Toch zag ik Thea languit in het gras liggen, daarstraks. Ondanks de harde wind. Fientje stond ernaast als een kleine waakzame kabouter. Zou Thea weten dat niemand haar iets kan doen en dat ze heus niet wegwaait?

Sarah bereed trouwens evengoed haar paarden, zag ik. Ondanks de wind.

Vanaf mijn werkplek kan ik namelijk de rijbak zien, als ik daarvoor wat moeite doe.

Dit keer reed Sarah een hete vos, die er een paar keer in slaagde weg te schieten. Sarah maakte duidelijk dat ze het niet accepteerde. Arme vos. Ik haat Sarah. Maar ik weet niet zeker of dat zo is omdat ik haar gemeen tegenover haar paarden vind of omdat ze ook met dit weer gewoon rijdt en daarmee dus meer lef heeft dan ik. Ik durf niet eens meer te rijden.

De jonge man met pet was er niet. Hij stond ook niet in een of andere, moeilijk zichtbare, hoek. Daarvan heb ik mijzelf overtuigd. Ik hou nu eenmaal van zekerheid.

Kimmy heeft mij tijdens het werk natuurlijk weer geterroriseerd door over mijn werkblad te wandelen, kopjes te geven, mijn pen in te pikken en mijn koffie omver te gooien. Bovendien besloot ze drie keer dat ze naar buiten en weer naar binnen wilde en twee keer dat ze wilde eten. En wel direct.

Het is dat ze muizen vangt… anders…

Ik hoop tenminste dat ze muizen vangt.

Het is nu avond. Ik kijk verlangend naar buiten. De wind is gaan liggen, maar de zon schijnt nog steeds en geeft de weilanden en bomen een warm-oranje gloed. Een prachtige avond.

Ik heb geen zin meer om nu nog buiten iets te doen.

Morgen ga ik echt met de paarden werken.

DINSDAG 24 MEI

Storm en regen, toen ik wakker werd. Vanmorgen kletsnat geworden tijdens mijn dagelijkse wandeling met de honden. Werken met de paarden leek geen optie. Ondanks mijn voornemen.

Maar na mijn ontbijt brak de zon door en kon ik er niet meer onderuit.

Mijn eerste kennismakingsronde met Thea moest nu plaats vinden. Ondanks de nog steeds straffe wind.

Gewapend met touwhalster en stick met string (nee, niet zo'n frivool onderbroekje, maar een koord wat aan de stick – een soort zweep, maar dan de verstijfde versie ervan – bevestigd kan worden en volgens meneer Parelli het perfecte hulpmiddel is) liep ik de wei in.

De paarden keken mij met onverholen nieuwsgierigheid aan. Volgens mij bedachten ze op dat moment al wat ze zouden gaan uitspoken.

Eerst maar met Fientje gewerkt. Haar kende ik tenslotte. Ik begon met een aantal Parelli-oefeningen en ging vol enthousiasme met de moeilijkere oefeningen door toen alles ondanks de storm goed ging. Misschien ging het wel dankzij de storm zo goed, want Fientje barstte van de energie. Ze speelde de verzonnen spelletjes vol overgave mee. Ze deed hier en daar een oefening die ik zelf niet had verzonnen, maar dat mocht de pret niet drukken. Het zag er gaaf uit en ik trok er een gezicht bij alsof ik het allemaal zo had bedoeld.

Stiekem wierp ik af en toe een blik richting buren. Misschien zag Sarah mij wel.

Of de man die eergisteren bij haar stond.

De laatste gedachte nam ik mezelf een beetje kwalijk.

Ik ben tenslotte net van Ritchie af – vier maanden, zestien dagen, vier en een halfuur en ongeveer dertig minuten – en nog lang niet aan een nieuwe romance toe.

Ik troostte mij met de gedachte dat de toeschouwer van Sarah geen potentieel gevaar voor mijn rustige vrijgezellenbestaan betekende omdat zijn verschijning waarschijnlijk eenmalig was. Als dat niet zo was – zo redeneerde ik – dan was het de vriend van Sarah.

Iemand die op Sarah valt, valt zeker niet op mij.

Maar zelfs afwezig, leidde hij mij toch af. Ik kon nog maar net op tijd opzij springen, toen Fientje bokkend langs mij heen spurtte. Die had ik dus niet zien aankomen.

"Fien!" riep ik verschrikt en boos. Dit stond dus niet in het studieboek. Fien werd niet geacht dit te doen. Ik zwaaide gevaarlijk met mijn stick in het rond en Fientje draaide keurig een rondje en keek mij met grote onschuldige ogen aan. "Wat?" leek ze te vragen. Ik liet haar naar mij toekomen, beloonde haar en ging naar haar reusachtige vriendin.

Het omdoen van het halster was geen enkel probleem en toen ik volgens Parelli's Friendly Game testte hoe ze op de stick en string reageerde , merkte ik dat ze in ieder geval nooit met een zweep was mishandeld. Het deed haar niets. Ongeacht hoe hard ik met dat ding stond te zwaaien.

Ik ging over op een leidoefening – waarbij ze werd geacht netjes met mij mee te lopen – maar toen bleek Thea opeens meer interesse te hebben in de monsters die uit het bos dreigden te springen – volgens haar – en de boosaardige trollen die overal in het gras verstopt leken – ook weer volgens haar.

Het rotsvaste paard veranderde in een hysterische tante, sprong van links naar rechts en liet zich daarbij totaal niet hinderen door mij. Het hart bonkte in mijn keel en de paniek sloeg toe.

Fout! Ik wist het. Ik moest de leiding nemen. Aarzeling duldde ik niet. Zwaaiend met de ellebogen als een vleugellamme eend die toch probeert te vliegen, eiste ik mijn eigen ruimte op, terwijl ik achteruit liep en haar daarmee dwong om hetzelfde te doen. Ik zou laten zien wie de leider was. Ik had het Pat Parelli tenslotte op de dvd zien doen en het stelde niets voor.

Thea had daar echter haar eigen mening over en opeens voelde ik haar tanden stevig in mijn schouder. In een reflex riep ik "au" en zwaaide met mijn arm, waarop Thea achteruit sprong en mij verbijsterd aankeek alsof ze wilde zeggen dat zíj het niet had gedaan.

Mijn schouder en mijn ego waren ernstig gekwetst. Ik liet de grote zwarte nog een paar pasjes lopen voor de vorm, beloonde haar voor de inspanning, maakte haar los en trok mij, toch stiekem zwaar beledigd, terug uit de wei. Juist op dat moment – uitgerekend op dat moment – zag ik hem staan: de leuke vent die ik al eerder bij Sarah zag.

Hij stond weer bij de rijbak van Sarah, maar keek naar mij. Ik voelde dat ik rood werd. Hoelang stond hij daar al?

Sarah verscheen ook in de bak met een stevig opgebonden paardje, klaar om te longeren. Ze riep iets naar mijn toeschouwer, waarop hij zich naar haar omdraaide en iets terug zei. Ik kon natuurlijk niet verstaan wat hij zei, maar ik durf te wedden dat het over mij ging.

Ik vluchtte mijn huis binnen en troostte mijzelf met een mok double choco-Mocha en een grote reep chocolade. Mijn schouder deed pijn en mijn ego was een gruwelijke dood gestorven.

Redelijk depressief wierp ik me maar weer op het forum op zoek naar antwoorden op de brandende vraag waar het nu fout ging tussen Thea en mij – liefst antwoorden waaruit bleek dat het niet mijn fout was, want meteen werken kon nu niet.

Ik gooide mijn probleem vertwijfeld op tafel – of beter gezegd op het net – en kreeg naast alle zinloze reacties een berichtje van iemand die zich Click noemde en vroeg waarom ik geen clickertraining probeerde.

"Daar worden paarden opdringerig van," schreef ik.

Ik had het tenslotte vaak genoeg gehoord: uit de hand voeren zorgt voor opdringerige, gevaarlijke paarden. Ik heb het zelfs ooit gezien bij een camping, waar pony's door de gasten werden gevoerd en een kindje voor haar leven moest rennen, toen ze in een onbewaakt ogenblik de wei in was gegaan.

Maar Click beweerde dat het niet zo was, als je maar wist wat je deed.

Het was waar dat je bij clickertraining met voer werkte, vertelde hij. Althans meestal wel. Maar altijd pas na een click met de clicker. Met de click markeer je het gedrag wat je wilt zien. Je begint met heel kleine stapjes en bouwt het dan uit tot het gewenste gedrag. Omdat je werkt op basis van beloning, doet een dier niets liever dan meewerken. Mits je ervoor zorgt dat het begrijpelijk blijft voor dat dier en dat je zelf precies weet wat je wilt en daar consequent in bent.

Het is een vorm van training die uit de wetenschap komt en al heel erg lang bij onder andere dolfijnentraining wordt gebruikt.

Click ging zelfs nog een stapje verder, Click bood hulp aan.

Ik ging ervan uit dat Click een meisje was omdat de meeste forumleden meisjes waren, maar toen ik een persoonlijk berichtje kreeg, bleek het een jongen te zijn. Of een man. Misschien wel een opa. Melvin.

De rest van de dag bekeek ik filmpjes van clickerpaarden en las alles wat los en vast zat over dit onderwerp.

Ik vergat helaas te werken.

Dat wordt dus zondagdienst deze week.

Dat doet er echter niet toe, want dit is belangrijk. Mijn ego en mijn gevoel voor eigenwaarde staan op het spel.

Bovendien wil ik absoluut niet meer afgaan voor de ogen van de leuke man, die bij Sarahs rijbak stond.

Natuurlijk is dat laatste niet echt belangrijk. Maar toch…
Ik denk dat ik aan een warme douche en een kop thee toe ben.
Of kan ik beter een koude douche nemen?

DINSDAG 25 MEI

Zonnig, maar een harde tot stormachtige wind.

Vandaag heb ik zowaar gewerkt. Ik ben erg trots op mezelf en heb mijn eigen persoontje na het werk beloond op wat extra forumtijd, waardoor ik nu blokoogjes heb.

Ik had eigenlijk met de paarden willen werken, maar na mijn blunder van gisteren, besloot ik dat ik beter eerst een plan kon opstellen.

Dat het bovendien alweer zo hard waaide, speelde natuurlijk ook een rol.

Ik ben wel even de wei in gelopen. Fientje dwong kriebels af, zoals altijd.

Thea is nog niet zo ver dat ze genegenheid vraagt. Of opeist, zoals Fien. Thea keek argwanend toe terwijl haar kleine vriendinnetje aandacht kreeg, maar twijfelde duidelijk een beetje aan mij. Ik zag het aan haar ogen.

Toch ging ik even naar haar toe en ze liet zich, na wat aandringen van mijn kant, een beetje kriebelen. Maar je kon zien dat ze er het hare van dacht.

Dat ik mijn voeten uit de buurt van haar enorme onderdanen hield, speelde misschien ook een rol. Ik had daardoor een wat minder charmante houding, waarbij ik op de toppen van mijn tenen naar voren balanceerde, mijn hand uitstrekkend naar die massieve zwarte nek en met mijn haren wapperend in mijn gezicht waardoor ik nauwelijks zag wat ik deed.

"Heb je al gereden?" hoorde ik, toen ik na een korte aanra-king weer moeizaam recht ging staan. Ik wist dat het Sarah was, die de vraag had gesteld, en overwoog eventjes om haar te negeren. Met die wind waren haar woorden tenslotte nau-welijks te verstaan en het was toch best mogelijk dat ik haar daardoor niet had verstaan?

Maar ze wandelde de wei in en kwam bij mij staan. Ze zag er geweldig uit.

Ik begrijp dat niet. Hoe kan iemand er met stormachtig weer zo onberispelijk uitzien? Dat slaat gewoon nergens op.

"Wat?" vroeg ik, hoewel ik haar vraag best had verstaan.

"Of je die dikke al hebt gereden."

"Nee. Ik heb haar nog maar net."

"Je hebt haar al een paar dagen."

"Ik heb nog geen zadel of hoofdstel."

"Je mag wel een pittig bit gebruiken voor zo'n knol."

"Ik rij bitloos."

"Met dát?" Ze trok haar keurig geëpileerde wenkbrauwen op.

"Natuurlijk," zei ik vol overtuiging.

"Mag ik dan komen kijken?" Ze grijnsde.

Ik gaf geen antwoord en kleurde rood. Niet vanwege haar op-merking, maar vanwege de knappe jongen die opeens achter Sarah opdook. Hij zag er van dichtbij nog beter uit.

Niet fotomodellen-knap, maar met een leuk gezicht met van die maanvormige kuiltjes in de wangen.

Ik krijg het gewoon weer warm als ik daar weer aan denk.

Hij stond dus opeens bij mij, zomaar, terwijl ik met Sarah praatte.

Sarah keek naar hem met een charmant, misschien wat arrogant, lachje.

"Molly, Emil. Emil, Molly," stelde ze ons aan elkaar voor.

Emil stak zijn hand naar mij uit. Ik geloof dat mijn hand een beetje trilde, toen ik zijn handdruk beantwoordde. Hij keek me recht aan. Nee. Hij keek bijna dwars door me heen. Zag Sarah het?

"Ik ken Emil van vroeger," vertelde Sarah. "Zijn ouders hebben een dressuurstal en ik kwam er bijna dagelijks. De laatste jaren heeft hij in het buitenland doorgebracht, maar nu is hij terug." Ze keek weer naar hem en glimlachte op een typische meisjesachtige manier. Ze flirte met hem, stelde ik verontwaardigd vast.

Hij glimlachte naar haar. De weekhals.

"Zullen we?" vroeg ze toen aan hem. "Hij helpt me met een paar reparaties van de rijbak," vertrouwde ze mij toe. "Het is een schat." Ze keek weer naar hem en glimlachte opnieuw flirterig.

De aanstelster.

"Leuk je te leren kennen," zei Emil. Zijn blik bleef net iets langer bij mij hangen dan nodig. Althans… dat verbeeldde ik me. Daarna draaide hij zich om en liep achter Sarah aan, richting rijbak.

Sarah keek nog even naar mij om en zond een overwinnings-lachje.

Ze was ervan overtuigd dat ze de buit binnen had. Ik zag het aan haar.

Ik vluchtte naar binnen en ging dus aan het werk. En aan het forum. En oh ja, ik stuurde nog wat wanhopige mails naar Click en kreeg meteen antwoord.

Ik besef nu pas dat ik best openhartig was naar hem toe, ik schreef hem over al mijn onzekerheden, angsten en blunders. Uiteraard alleen op paardengebied. Als ik mijn onzekerheden, angsten en blunders in het dagelijks leven in mails moest verwerken, zou het een interactieve Dikke van Dale worden. Mijn ellende op paardengebied was al gênant genoeg.

Maar mijn openhartigheid maakt verder niets uit. Click heet Melvin en Melvin is een Belg en woont vast 1500 kilometer of verder bij mij vandaan. Ik hoef hem nooit te ontmoeten.

Het is prettig om openhartig met iemand te praten, die je nooit in levenden lijve hoeft te ontmoeten. Veilig.

Straks bel ik Gaby op. Ik heb haar al lang niet meer gesproken.

En misschien moet ik mijn ouders ook nog maar eens bellen. Al gaat mam dan weer vragen of ik niet terug naar Nederland kom.

DONDERDAG 26 MEI

Geen wind, geen regen. In ieder geval toen ik vanmorgen op-
stond. Helaas was de pret maar van korte duur. Tot tien uur,
om precies te zijn. Daarna werd het grijs. De rest van de dag
ging in een grauwe sluier met motregen gehuld.

Gaby heeft trouwens een vriend. Niet haar eerste vriend na
haar scheiding en waarschijnlijk ook niet haar laatste, maar
ze was er dolenthousiast over.
Als ik haar moet geloven is het een soort superman.
Hoe doet ze dat toch? Remco is nog maar net de deur uit en ze
heeft alweer een nieuw exemplaar op de stoep staan. En dat
terwijl ze toch niet het uiterlijk van bijvoorbeeld Sarah heeft.
Gaby is namelijk behoorlijk mollig en heeft een veel te rond
hoofd. En daar geeft ze ook nog niets om.
Ze smult appelgebak, geniet wijntjes en is gek op mosselen
met frietjes.
Ze is echter ook erg gezellig en ze heeft mooie ogen, dat wel.
Misschien is dat wel het geheim. Ik betwijfel of ik gezellig
ben. Maar ja. Ik hoef geen nieuwe vriend. Nooit meer. Of zo.

Maar dit is dus een trainingsdagboek. Dus: de training…

Oh, voordat ik het vergeet… ik heb mam ook gesproken. Ze
vroeg of ik echt niet meer in Nederland wilde wonen, nu ik

weer alleen was. Dat vraagt ze altijd. Ze vroeg het trouwens ook voordat Ritchy zijn Zweedse schone het hof maakte.

Pap vraagt dat nooit. Pap wil binnenkort weer hierheen komen. Hij vindt het heerlijk om in de tuin te rommelen, met de honden te spelen en naar de paarden te kijken. Soms verdenk ik hem ervan dat hij het leuk vindt dat ik nu hier woon en hem een leuk vakantie-adres bied. Misschien zou hij zelf hierheen verhuizen, als hij mam zover kreeg. Maar dat zit er niet in. Mama houdt van haar eigen buurtje. Ze heeft nooit ergens anders gewoond.

Maar goed… terug naar de training. Ik heb dus met de paarden getraind. Min of meer dan.

Ik heb vanmorgen een clicker en een paar zakken wortels gekocht en ben gaan trainen. *Targetten*. Volgens Melvin moest ik daarmee beginnen. Hij heeft precies uitgelegd hoe het moest, dus vanmorgen ging ik gewapend met een buideltasje vol worteltjes en een targetstick (een stok met een tennisbal erop geprikt) naar de paarden.

Eerst zette ik Fientje apart, want twee paarden tegenlijk trainen is niet handig, schreef Melvin. In ieder geval niet als beginneling.

Fientje had het meteen door. Natuurlijk probeerde ze eerst zelf de wortels uit mijn tasje te pikken, maar ik gaf haar daartoe geen kans. Ik bleef buiten bereik staan en verhip, ze schoot al snel als een snoek met haar neus richting target, keer op keer. Leuk.

Daarna was Thea aan de beurt. Nu moet ik zeggen dat ik nog steeds die tanden in mijn schouders voel, dus hebben we elkaar eerst een tijdje alleen maar argwanend bekeken. Maar uiteindelijk raapte ik mijn moed bij elkaar, deed haar het halster om, zette haar haastig in de stal en spande een koord voor de ingang dat ik met een paar stevige knopen aan de planken bevestigde, zodat ik aan de andere kant van het touw buiten het bereik van haar tanden kon blijven, tijdens de eerste training. Een advies van Melvin. Slimme Melvin.

Thea is volgens mij minder slim dan Fientje – en Melvin – en bleef naar mijn buideltje reiken, in plaats van naar de target-stick.

Groot hoofd, weinig hersens, vrees ik. Toen ze ongeduldig werd, liep ik, geheel volgens voorschrift, weg. Zij liep mij achterna. Ik denk dat ze de voorschriften niet kende.

Goed… ik had een koord gespannen. Maar Thea zag geen reden om achter een onnozel koord te blijven en denderde er dwars doorheen, daarmee wat planken van de stal met zich mee sleurend. Ik vluchtte de wei uit en draaide me toen pas naar haar om, zodat ik haar op veilige afstand kon zeggen hoe ik erover dacht.

Maar haar aandoenlijke hoofd en verwachtingsvolle ogen wiste iedere boosheid weg en ik bood haar opnieuw het target aan. De omheining van de wei was tenslotte stevig genoeg.

En ja hoor… ze kreeg het door. Zelfs Thea snapte het. IJverig duwde ze haar neus tegen het target. Opnieuw en opnieuw. Ik betrapte mij op een juichkreet, gaf de paarden nog een extra wortel en ging naar binnen om de verbaasde honden te knuffelen. Ik moest mijn blijdschap toch met iemand delen en zij hadden daar geen moeite mee.

Kimmy maakte trouwens dat ze wegkwam. Ze wil alleen geknuffeld worden op haar eigen voordwaarden.

De rest van de dag heb ik gewerkt.

Ik zit nu zelfs ijverig aan de eetkamertafel, vol met papieren en ordners, om aan de boekhouding te werken. Maar ik bedacht opeens dat ik nog niet in mijn dagboek had geschreven. Vandaar...

Ik haat boekhouding. Ik ben gewoon niet geboren voor getallen.

Zucht.

Misschien moet ik eerst maar eens een kop thee nemen. En misschien even Two And A Half Man kijken. En CSI. Daarna doe ik echt iets aan de boekhouding.

Of zal ik het morgen doen?

VRIJDAG 27 MEI

Lief dagboek,

Haha. In films en boeken beginnen ze altijd zo. Misschien moet ik dat ook maar eens doen. Naar het schijnt krijg je dan het gevoel dat je werkelijk tegen iemand praat. Maar ik weet eigenlijk niet of ik dat wil. Niet als ik iets wil vertellen wat ik nooit hardop zou durven zeggen, denk ik. En vandaag wil ik zoiets vertellen.

Ik heb gisteren al genoemd dat dit een trainingsdagboek is, maar aangezien de paardenfluisteraars beweren dat het paard de spiegel van je ziel is, kan ik in dit trainingsdagboek net zo goed mijn ziel blootleggen. Ik zou trouwens niet weten waar ik dat anders zou moeten doen en ik moet het echt kwijt. En zoals ik in het begin al schreef… ook in een eetdagboek word je geacht je gevoelens te noemen.

Goed. Daar gaan we. Ik ben verliefd.

Ik weet dat ik nog maar een paar dagen geleden – of was het gisteren? – schreef dat ik nooit meer een vriend wilde. En echt waar… ik meende het.

Objectief gezien is dat niet veranderd, maar de vlinders jakkeren als inie-mini- Nicky Louda's door mijn buik.

Hij heet Emil. Jep, de vriend van Sarah. Nou ja, niet DE vriend van Sarah, maar gewoon een vriend. Een jeugdvriend.

Iedereen weet dat het nooit iets wordt met een jeugdvriend. Al geloof ik niet dat Sarah er ook zo over denkt.

Ze weet natuurlijk niet dat ik verliefd ben op Emil. Emil weet dat ook niet en dat wil ik voorlopig zo houden.

Al voel ik hoe hij zijn vingers voorzichtig door mijn haren laat glijden en mijn gezicht streelt, terwijl hij mij diep in de ogen kijkt, zodra ik mijn ogen sluit.

En al kan ik mezelf wijs maken dat hij mij leuk vindt omdat hij vandaag op bezoek kwam.

Hij kwam overigens niet zomaar op bezoek. Ik kwam vanmorgen de moeder van Sarah tegen toen ik de honden uitliet, en zei voorzichtig dat Thea de stal had gesloopt.

Ik heb maar niet erbij gezegd hoe het kwam. Alleen dat Thea een paar planken had losgetrokken, maar dat ik ervoor zou zorgen dat het weer in orde kwam.

En toen opeens stond Emil aan de deur.

Ik was charmant gekleed in een grijze legging en een kingsize shirt met Mickey Mouse, toen de honden begonnen te blaffen en iemand de sierlijke bel luidde, die ik normaal gesproken bijna nooit hoor ook al rammel je je een breuk met de klepel.

Ik was nog in gedachten verzonken toen ik naar de deur liep. Ik werk momenteel aan de illustraties van een kinderboek en ik ben er nog niet helemaal uit hoe de eenhoorn – waar het hele boek om draait – eruitziet.

Ik opende de deur en opeens stond hij voor me. Ik schrok me

dood en voelde hoe mijn hoofd een oventemperatuur bereik-
te.

Hij keek mij aan – echt waar – en glimlachte.

Hij heeft werkelijk een heel leuke lach.

Ik geloof dat ik een of ander welkom stotterde.

Hij vertelde dat hij de stal kwam repareren.

Ik weet niet eens meer hoe ik met hem bij die stal ben gekomen.

Ik geloof dat ik werkelijk van streek was. Om de haverklap
keek ik stiekem naar hem. Hij zag er werkelijk leuk uit.

"Hoe is het gebeurd?" vroeg hij, toen hij wat verbaasd door
zijn haren wreef – heel leuk haar, trouwens – en naar de gesloopte planken keek.

Ik gaf hem de gekuisde versie van de gebeurtenissen, bleef
een beetje vaag over de training waarmee ik in de experimen-
teerfase verkeer en begroef mijn tenen zo'n beetje in het zand
terwijl hij de schade opnam.

Hij had nieuwe planken meegenomen, zei hij. Hij verdween
een paar minuten om de kruiwagen met planken te halen, die
hij ergens op de weg had geparkeerd – ik durfde eindelijk
adem te halen – en ging meteen daarna aan het werk.

Ik hielp met het vasthouden van de planken, maar ik geloof
niet dat het erg nuttig werk was. Hij zou zich uitstekend zonder mij hebben gered. Maar hij was galant genoeg om te doen
alsof ik onmisbaar was.

Ik dacht koortsachtig na hoe ik een interessant gesprek op
gang kon brengen, maar hij was me voor en stelde vragen over

Thea en Fientje. Hij wilde weten wat ik met de paarden zoal deed – waarbij ik met opzet vaag bleef in mijn antwoord – en of ik altijd al paarden had gehad.

Hij kon trouwens ook goed met de honden overweg, ontdekte ik, toen Typje de achterdeur had geopend om de nieuwkomer onder zijn enthousiasme te begraven.

Na het werk dronk hij zelfs een double choco-Mocha met mij. Ik had misschien moeten vragen of hij iets met Sarah had. Gewoon zekerheidshalve. Maar hoe vraag je zoiets, zonder meteen wanhopig op zoek te lijken? Ik weet het niet. Dus vroeg ik maar niets.

Toch noemde ik haar naam. Ik zei niet dat ik haar eigenlijk haatte – wat wel erg eerlijk zou zijn geweest – maar maakte een complimentje over haar rijden. Nou ja, iets in die richting. Ik wilde niet overdrijven.

Ik hoopte dat hij van de gelegenheid gebruik zou maken om kritiek te uiten op haar omgang met paarden of haar arrogant zou noemen. Of dat hij mij toevertrouwde dat ze iets met hem wilde beginnen, maar dat ze absoluut zijn type niet was.

Maar Emil gaf mij gelijk. Hij zei dat ze goed wist wat ze wilde en een paar goede paarden op stal had staan. Dat was dus niet wat ik wilde horen.

"Rijd jij ook wedstrijden?" vroeg ik. Tenslotte wist ik dat zijn ouders een dressuurstal hadden en leek het mij verstandig onderwerp 'Sarah' te laten rusten.

Hij glimlachte en schudde zijn hoofd.

"Rijd je helemaal niet?" vroeg ik toen.

"Soms. Als ik zin heb." Hij glimlachte weer.

Oh help, wat heeft die jongen een heerlijke lach.

Toen hij vertrok, zweefde ik nog een poosje rond, voordat ik weer aan de werktafel ging zitten. Maar het was zinloos. Ik kon mij eenvoudigweg niet meer concentreren.

Hoe wil je in hemelsnaam nadenken over het uiterlijk van een eenhoorn als je je eigen sprookje al beleeft?

Met de paarden heb ik ook niet meer gewerkt. Ik heb alleen wat dromerig rondgehangen in de wei.

Thea kwam dit keer bij me staan en legde haar neus tegen mijn wang. Het was een innig, bijna niet te beschrijven, gevoel: die warme neus tegen mijn wang en de warme ademhaling die langs je huid glijdt. Een gevoel van vertrouwen en samenzijn. Ik vergat op dat moment zelfs – heel even – Emil en durfde nauwelijks adem te halen.

Ik dacht aan wijze woorden die ik ooit had gehoord… Hempfling was het, geloof ik, die het omschreef: Als je tijd gekomen is, zijn het niet de grote dingen die je je herinnert. Niet de prijzen die je hebt gewonnen of de prestaties die je hebt geleverd. Aan het eind zijn het de kleine dingen die tellen: een aanraking, een streling… een samenzijn.

Zucht.

Zou Emil dezelfde gevoelens oproepen? Maar dan anders?

Zucht.

Nu ben ik dus weer binnen. Mijn werktafel is nog niet opge-ruimd, de eenhoorn heeft nog geen gestalte en de eetkamerta-fel ligt vol met boekhoudspullen.

Ik denk dat ik mijn pyjama maar vast aandoe en op de bank met een dekentje wegdroom over een innige band met mijn paarden en Emil.

ZONDAG 29 MEI

Gisteren heb ik niet in mijn dagboek geschreven. Ik heb gisteren tenslotte ook niet getraind. Ik ben gisteren naar Ullared geweest met Silvy.

Silvy had ik nog niet eerder genoemd?

Silvy is een Nederlandse vrouw, maar ze woont al twintig jaar in Zweden. Ze is met een Zweed is getrouwd; met Kalle.

Silvy is klein, mager en springerig; Kalle is rustig en heeft een indrukwekkende buik, waar hij graag mee pronkt.

Hoewel ik hen allebei graag mag, is Silvy mijn vriendinnetje. Ze is vijftien jaar ouder dan ik, maar we hebben veel lol samen.

Ik heb haar leren kennen toen ik Fientje kocht.

Silvy heeft namelijk een shetlanderstoeterij en Fientje was een van haar shetjes. Het was erg gezellig toen ik Fientje uitzocht en later met Silvy en haar man koffiedronk en over Nederland roddelde.

Aangezien ik na die dag om de haverklap met vragen over Fientje belde, besloot ze dat het gemakkelijker was om vriendinnen te worden.

Gisteren gingen we dus samen naar Ullared, naar de Gekås: het grootste warenhuis van Zweden, bekend van televisie. Echt waar. Hier in Zweden komt de Gekås in Ullared wekelijks op de televisie.

Maar de opnames daarvoor waren de vorige zomer en wij liepen niet het risico onszelf giechelend op het scherm terug te zien.

Zoals altijd was het er druk, maar ik heb voor mezelf een joggingbroek en een korte broek van elastische stof op de kop getikt. Ik heb ook even op de paardenafdeling rond gehangen, maar er was niets in maatje Thea.

Op de hondenafdeling kocht ik een lekker bed voor de honden – Typje heeft de vulling uit een van de matrasjes gesloopt – en twee hele lange worsten van gedroogd vlees.

Voor Kimmy zocht ik een speelgoedmuis uit. Ik weet dat ze die leuk vindt. Ik weet ook dat de muis waarschijnlijk over een paar dagen is verslonden door Typje. Maar zo hebben twee dieren lol van de aankoop, nietwaar?

Ik heb Silvy trouwens niet over Emil verteld.

Zolang ik mijn verliefdheid niet hardop uitspreek, kan ik wegdromen van een gezamenlijke toekomst. Maar als ik erover praat, wijst iemand mij wellicht op de realiteit; namelijk dat Emil niet op mij zit te wachten en dat ik geen concurrentie ben voor Sarah. En dat is iets wat ik niet wil horen. Zalig zijn de onwetenden. ☺

Vandaag heb ik eindelijk gewerkt. Dat was ook nodig, want de eerste bezorgde mailtjes van de uitgever waren al binnen. Hij kent mij. Deadlines halen is nooit mijn sterkste kant geweest. Ik heb bovendien ook met de paarden gewerkt. Targetting. Dit keer zonder koord tussen Thea en mij.

Ik geef toe dat ik wel met die gedachte heb gespeeld. Een set gesloopte planken zou een nieuw bezoek van Emil betekenen. Een verleidelijke gedachte. Maar ik durfde niet goed. Ik was bang dat het er te dik bovenop lag.

Geen touw dus.

De training verliep goed.

Fientje wist nog precies wat de bedoeling was en rende mij zelfs achterna om in het target te bijten, toen ik wegliep. Het was een hele toer om haar ertoe te bewegen het target met rust te laten, want ze hing er uiteindelijk als een pittbull aan. Ik heb haar omgekocht met een wortel. Opvoedkundig niet verantwoord, maar het werkte wel.

Thea was wat trager en wat minder subtiel – ik kon net op tijd mijn tenen wegtrekken toen ze demonstreerde dat ze het begreep toen ik de target te dicht bij me hield om de haren uit mijn gezicht te vegen – maar werkte ijverig mee. Ik geloof dat ik stond te juichen.

Sarahs vader was buiten en keek bedenkelijk naar mij. Ik zwaaide naar hem en trok me met de paarden terug in een hoek van de wei die minder goed zichtbaar was vanuit het huis van de buren.

Ik deed ook een leidoefening met Thea. Een klein stukje slechts, want er was verwarring over wie nu wie aan het leiden was. Maar een klein rondje om de boom ging best wel goed en ze heeft mij in ieder geval niet meer gebeten.

Ik denk dat ze mij raar vindt. Het is maar goed dat ze niet kan praten.

Later heb ik een mailtje naar Melvin gestuurd en over mijn succes verteld.

Leuk is dat; zo'n internetvriend reageert altijd enthousiast. Misschien is Melvin ook wel zo'n blije. Ik weet het niet.

Hij schreef in ieder geval een leuk briefje terug en reikte nog ideetjes aan over het leiden met hulp van een target en zo.

Allemaal gemakkelijk gezegd, schreef ik, en ik stelde voor dat hij het mij maar moest komen uitleggen; uiteraard met veel smileys erachteraan. Zo'n man komt tenslotte heus niet helemaal vanuit België hierheen, om iets voor te doen.

Dacht ik.

Maar hij schreef dat hij weliswaar Belg was – zoals hij eerder had geschreven – maar allang niet meer in België woonde. In-tegendeel. Hij woonde in Zweden, op Bolmsö. Of ik ver daar-vandaan woonde?

Nee dus. Bolmsö is maar een halfuurtje rijden... Misschien nog niet eens.

Maar dat heb ik hem dus nog niet verteld. Ik moet eerst mijn shock verwerken. Melvin woont dus in Zweden. Melvin; de jongen – of man – tegenover wie ik mijn halve zielsleven heb blootgelegd. De anonieme helper in nood.

Moet ik hem werkelijk vertellen dat ik zo dicht bij hem woon? Misschien staat hij morgen dan opeens voor mijn neus.

En misschien is hij helemaal niet zo aardig als hij lijkt, maar een vieze seksmaniak of seriemoordenaar.

Goed. Ik overdrijf. Maar je weet het maar nooit.

Misschien moet ik hem wijs maken dat ik in Lapland woon?

MAANDAG 30 MEI

De lente laat zich van zijn beste kant zien.

Vanmorgen stond er nog een behoorlijke wind, maar nu is het heerlijk. Ik zit binnen, maar de deur naar de veranda staat wagenwijd open.

De honden kunnen naar believen gaan en staan waar ze willen en hebben daarmee weer de unieke mogelijkheid om iedere voorbijkomende tractor een niet mis te verstane waarschuwing mee te geven: dit gebied is van ons en de weg waarop je rijdt eigenlijk ook. Wegwezen dus.

Ze vervelen zich in ieder geval niet.

Ik heb mij vandaag ook niet verveeld.

Ik heb gewerkt. Ik heb me voor de zoveelste keer voorgenomen om meer zelfdiscipline op te brengen en vandaag ben ik daar zelfs in geslaagd.

En dat niet alleen. Ik heb zelfs weer met de paarden gewerkt. Fientje heeft het principe achter de clicker helemaal begrepen: ze valt enthousiast het target aan en leerde vandaag in slechts tien minuten stilstaan terwijl ik om haar heen liep.

Ik heb duizend ideeën over de dingen die ik Fientje wil leren en ik zie haar als circuspaardje voor mij. Silvy zou het geweldig vinden. Silvy vindt toch al alles leuk wat ik met Fientje doe, hoewel zij veel serieuzer is en daarmee veel meer zinnigs van haar pony's gedaan krijgt. Ze heeft menig pony geleerd om voor de wagen te lopen en zelfs kindjes in dienst die er

– onder haar begeleiding – mee rijden. Maar ze kijkt niet op mij neer omdat ik het anders wil doen. Zoals Sarah bijvoorbeeld.

Hoewel Sarah nooit heeft gezegd dat ze op mij neerkijkt, zelfs geen enkele opmerking in die richting heeft gemaakt, voel ik gewoon dat het zo is.

Hoe zou Emil daarover denken?

Sorry. Ik dwaal af. Hoewel ik Emil al twee dagen niet heb gezien. Misschien vindt hij het niet meer leuk om met Sarah op te trekken – wat ik volkomen begrijp – en staat hij straks hier op de stoep. Misschien ook niet. Misschien zie ik hem nooit meer. Een gedachte die mij meteen maagpijn bezorgt.

Maar ik had het niet over Emil. Ik had het over Fien. En Thea. Ik heb ook met Thea getraind. Een meid uit het dorp had nog een boomloos zadel liggen, dat op ieder paard paste. Dat beweerde ze ten minste stellig.

Ik heb het van haar overgenomen en op Thea gelegd, maar Thea valt dus niet onder 'ieder paard'.

Dat de singel niet paste, was begrijpelijk. Maar voor een paar cent kon ik een bijna meterslange singel op de kop tikken en daarmee leek het probleem opgelost.

Het opzadelen ging bijna vanzelf, al leek het een beetje op het bekleden van de Mont Blanc. Maar Thea had er geen moeite mee. Braaf paard.

Strikt gezien durf ik niet meer op een paard te stappen, maar ik heb nu eenmaal tegenover Sarah beweerd dat ik heus wel met Thea ging rijden als ik het materiaal daarvoor had en ik ga nu eenmaal niet graag tegenover haar af.

Bovendien hoefde ik nu nog niet te rijden. Ik hoefde alleen maar te kijken of het zadel voldeed. Gewoon erop zitten, was voldoende, wat mij betrof. En dat was al spannend genoeg.

Ik gebruikte een rots als opstap, maar Thea ging iedere keer net ver genoeg van die rots af staan om het opstappen zonder dodensprong onmogelijk te maken, zodat ik telkens weer van de rots af moest klimmen om Thea opnieuw naast de rots te parkeren. Ik ben namelijk niet erg goed in dodensprongen. Voor mij kan dertig centimeter al een niet-te-overbruggen-afstand zijn, bij zo'n gevaarlijke onderneming als het plaatsnemen op een groot zwart paard met meewarige blik in de ogen. Toen ik na een lichte hyperventilatie-aanval eindelijk toch in mijn missie slaagde en in het zadel plofte, schoof het ding soepel over de brede rug en hing ik bijna onder haar buik.

Bang dat Thea in paniek zou raken, liet ik mij maar helemaal vallen. Het gebeurde niet gracieus en ik schaafde mijn rug aan de rots.

Hij gloeit nog steeds.

Thea raakte overigens niet in paniek. Zij keek mij alleen maar aan en ik weet zeker dat ze met haar ogen rolde.

Ik heb mijn pogingen maar gestaakt en het arme beest afgezadeld en een wortel gegeven. Zij kan het immers niet helpen dat ze mij als baasje heeft.

Ze was verder overigens erg lief en begripvol, wat haar nog een wortel opleverde. Ik hoop dat al die wortels haar niet nog breder maken. Ik heb toch al het gevoel dat ik beter eerst de spagaat kan leren, voordat ik haar probeer te berijden. Als ik dat tenminste ooit durf.

Maar nu zit ik hier dus te schrijven, met de rug naar de open verandadeur, een slapende poes naast mij – voor deze keer eens niet op het toetsenbord – en hoor ik buiten nog wat late vogeltjes fluiten.
Ondanks alles een mooie dag.
Wacht even… er komt een berichtje binnen?

Melvin.
Hij is woensdag in de buurt. Of het goed is als hij aan komt?
Hoe weet hij in hemelsnaam waar ik woon? Ik heb nog niet eens zijn mail beantwoord.
Paniek. Zal ik doen alsof ik de mail niet heb gelezen?
Nee. Dat is niet aardig.
Melvin is aardig en behulpzaam. In ieder geval via internet.
Het minste wat ik kan doen is hem een kop koffie aanbieden.
Ik ga dus mailen dat hij welkom is.
En daarna lekker met een appel en een mok thee op de bank.
Two And A Half Man kijken.

DINSDAG 31 MEI

Nog steeds heerlijk weer.

De deur naar de veranda staat al de hele dag open en de honden maken er dankbaar gebruik van. Dat daarmee mijn huiskamer ook in een soort tuin verandert, neem ik maar op de koop toe.

Typje heeft een kuil gegraven in mijn tuin. Als hij nog eventjes doorgraaft, hoef ik er alleen maar plastic in te gooien en de kuil met water te vullen om een zwembad te realiseren.

Maar dan is Typje zijn kuil kwijt en ik denk dat hij dat niet leuk vindt. Hij maakt veel gebruik van die kuil. Hij gaat erin liggen, zodat ik alleen de bovenkant van zijn zwarte hoofd en de vouwtjes van zijn bijna dwarsstaande oren zie.

Een soldaat in een loopgraaf. Waarschijnlijk voelt hij het ook zo, gezien zijn fanatisme waarmee hij eruit springt als er een tractor of argeloze fietser passeert.

Moesje ligt nooit in een kuil. Moesje ligt liever in de zon. Languit.

Nu het avond wordt, ligt ze binnen; in de laatste zonnestraaltjes die door het raam de woonkamer binnen dwarrelen. Ze laat niets van de zomer verloren gaan.

Kimmy is een groot deel van de dag op pad. Behalve rond etenstijd, natuurlijk. Dan mauwt ze de hele buurt bij elkaar en zorgt ervoor dat ik geen stap kan zetten zonder over haar te struikelen, bang dat ik haar vergeet.

Maar ik dwaal af.

De paarden.

Thea berijden is voorlopig geen optie. Dat is jammer, hou ik mijzelf voor, omdat ik gisteren toch het lef had om erop te stappen. Uiteindelijk tenminste wel.

Maar zonder zadel durf ik het werkelijk niet aan en ik heb heel internet doorgespit om een zadel voor de brede dame te vinden. Er staan zadels genoeg te koop, maar ze zien er allemaal erg klein uit in vergelijking met de rug van Thea. Ik heb vragen op forums gesteld over zadels, bemoeide me met discussies over onderwerpen waar ik niet zoveel vanaf weet maar toch een mening over heb, en deed nog wat andere zaken die mijn werk niet bespoedigden. Toch heb ik ook gewerkt. Niet zoveel als mijn uitgever zou willen – het kinderboek moet tenslotte af – maar ik heb een paar mooie omgevingsschetsen gemaakt en Aspen, het onbeduidende elfje, gedaante gegeven. De eenhoorn staat helaas nog niet op papier. Ik heb wel een paar schetsen van een eenhoorn gemaakt, maar daar was niets bij waar ik tevreden over was.

Misschien droom ik vanavond wel over de eenhoorn en weet ik daarna – als bij toverslag – hoe het beest eruit moet zien. Ik overweeg zelfs om het script mee naar bed te nemen en het nog een keer door te nemen voor het slapen gaan. Ik zal de eerste niet zijn die tijdens de slaap een geniale inval krijg.

Uit ervaring weet ik echter dat ik meestal gewoon hard moet

werken voor een tevredenstellend eindresultaat. Het leven is niet eerlijk.

Waar was ik? Waarom dwaal ik altijd af?

Dat afdwalen gebeurt mij zelfs tijdens gesprekken. Ik merk dat dan aan de verbijstering van mijn gesprekspartners als ik een reactie geef die nergens op slaat omdat het laatste deel van het gesprek mij totaal ontging en ik dus reageer op iets wat blijkbaar al een eeuwigheid geleden werd afgesloten.

Maar nu doe ik het alweer. Nu dwaal ik alweer af.

De paardentraining...

Ik heb Emil trouwens weer gezien. Hij liep naar de stallen bij de buren en zwaaide naar me. Ik zwaaide natuurlijk terug. En nu denk ik steeds aan hem.

Zou ik hem kunnen uitnodigen voor een kop koffie? Of zou Sarah dan boos worden? Sarah heeft niets met hem en dus ook geen recht op hem, maar het zou mij niets verbazen als ze verliefd op hem is. Ze flirtte overduidelijk met hem, toen ze hem aan mij voorstelde.

Ik fantaseer dat ze indruk op hem probeert te maken, terwijl hij alleen oog heeft voor mij en moet daar zelf toch een beetje om lachen. Sarah zou er ook om lachen, als ze het wist. Ze weet heel erg goed dat ik geen concurrentie voor haar ben. Alleen al daarom mag ik haar niet. En omdat ze zo streng is tegenover haar paarden, natuurlijk. De heks.

Training. Daar had ik het over.

Ik heb een rijtje pionnen neer gezet en het leiden geoefend. Voor Fientje geen probleem. Ze kende het allang – al deed ze af en toe alsof het niet zo is – maar genoot van de vele schijfjes wortel als beloning.

Met Thea had ik iets meer moeite. Ik had de oefening in een filmpje gezien en het zag er simpel uit; gewoon van pion naar pion lopen en bij iedere pion een beloning aanreiken op de plek waar het paard moest staan. Maar Thea begreep niet precies waar ze moest staan en een paard van 1000 kilo dat dwars voor je gaat staan met de mededeling: *Kom nu maar op met die worteltjes want anders…*

Tja, zo'n dier neem je serieus.

En eerlijk gezegd overwoog ik werkelijk om de wortels op de grond te gooien en te maken dat ik wegkwam. Maar ik heb er niet aan toegegeven. Ik hield voet bij stuk, bleef bibberend en wel staan, zette haar in de achteruit – wat zo ongeveer gelijk stond met het aanduwen van een vrachtwagen – en beloonde haar toen ze toch nog luisterde.

Ik heb de oefening niet al te lang uitgevoerd, want ik wist niet hoelang mijn hart nog in mijn borstkas zou blijven. Het dreigde er af en toe uit te springen.

Maar eigenlijk mag ik trots zijn op mezelf: Ik heb niet toegegeven aan mijn aanval van lafheid en ik heb Thea uiteindelijk de oefening goed laten uitvoeren. Min of meer dan.

Melvin. Morgen komt hij. Moet ik me dan netjes aankleden?
Wat is hij voor iemand?
Ik ben toch wel een beetje nerveus. Misschien een beetje heel
erg nerveus. Misschien is het wel een hele leuke, knappe jon-
gen. En dan moet ik kiezen; Emil of Melvin.
Haha.
Tijd voor mijn appeltje, thee en televisie.

WOENSDAG 1 JUNI

De Belg is hier geweest. Melvin dus.

Zucht.

Geen kalende vijfiger met een dikke buik van de frietjes, maar een leuke frisse vent, ergens vooraan in de dertig, met knapenkrulletjes en een onschuldig gezicht.

Ik geloof dat mijn mond een beetje openviel toen ik de deur voor hem opendeed.

Ik heb een tijd onhandig bij de deur staan haspelen, niet wetend of ik hem eerst de paarden moest laten zien – want daar ging het tenslotte om – of voor koffie moest uitnodigen en of hij dat laatste dan niet verkeerd zou opvatten.

Als Melvin werkelijk een kalende late vijftiger met bijbehorende buik was geweest, was dat dilemma nooit ontstaan. Dan had ik hem als een vaderfiguur behandeld en me waarschijnlijk volledig op mijn gemak gevoeld. Ik voel me toch al altijd wat beter op mijn gemak bij veel oudere mannen. Niet omdat ik een vadercomplex heb waar Freud van zou smullen, maar omdat die mannen over het algemeen geen verwachtingen over mij koesteren. En ik niet over hen. Er zullen uitzonderingen zijn, maar daar heb ik gelukkig nooit mee te maken. Melvin zorgde dus wel voor een dilemma. Een jongen – mag je dat zeggen van iemand die al in de dertig is? – als hij kan het gevoel hebben dat ik iets van hem wil als ik hem uitnodig voor koffie. En dat wil ik niet. Althans… ik wil niet dat hij

dat denkt. Zelfs niet als ik eventjes wegdroom bij een gezamenlijke picknick tijdens een rit door de bossen, met de
paarden vredig grazend op de achtergrond.

Ik weet het. Te veel fantasie. In mijn werk bruikbaar, maar in
mijn dagelijks leven verdraaid lastig.

Melvin trok zich gelukkig niet al te veel aan van mijn gesta-
mel en gestotter en stelde voor om eerst maar eens naar de
paarden te gaan.

Hij was wonderbaarlijk. Fientje en Thea vonden hem meteen
aardig en schaamden zich geen moment om dat te laten merken. Soms zou je zomaar paard willen zijn.

Toen hij met hen aan de slag ging, was ik verbijsterd over zijn
handigheid. Hij behoorde duidelijk niet tot de mensen die
achter hun toetsenbord de wijsheid in pacht hebben, maar er
in werkelijkheid niets van bakken.

Het zag allemaal zo simpel uit. Hij begon met het targetten,
leerde de paarden in een tijd van niets om stil te staan en voor
zich uit te kijken terwijl hij erom heen wandelde, had het in
een mum van tijd voor elkaar dat ze op een klein signaal het
hoofd omlaag deden en liet hen binnen de kortste keren op
een vingerbeweging achteruit lopen. Alsof het allemaal niets
wilde zeggen. Alsof ik het zo kon nadoen.

Niet dus.

Jeetjemina, wat voelde ik mij onhandig, toen hij mij aan het
werk zette. Ik probeerde hem te imiteren, echt waar. Maar ik
vergat steeds mijn hand op de juiste plek te houden, de cor-

recte signalen te geven, rustig te blijven als de paarden wat ongeduldig werden en exact op het juiste moment te clicken. Natuurlijk heb ik wel een aardig excuus. Het is namelijk erg moeilijk om je op de training te concentreren als een leuk blond lid van de mannelijke gemeenschap dicht bij je staat en je zelfs af en toe aanraakt om iets te wijzen. Een alleenstaande meid zou van minder de weg kwijtraken.

Maar dat kon ik moeilijk tegen hem zeggen, nietwaar?

Ondertussen reed Sarah verderop met een voskleurig paard in de rijbak. Ik heb haar vaak daarmee zien rijden. Prachtig paard.

Hij – of zij – was zo druk als een hommel met ADHD, maar Sarah liet hem indrukwekkende pasjes maken en zag daarnaast ook nog kans om naar ons te kijken. Ik moet eerlijk bekennen dat het me goed deed dat Melvin geen aandacht aan haar besteedde.

Na de training heb ik Melvin toch maar voor een kop koffie uitgenodigd. Als dank voor de les, natuurlijk. Dat heb ik er ook duidelijk bij gezegd. Ik had zelf kaneelbroodjes gebakken en kreeg complimentjes daarover. Ik krijg het nog steeds warm als ik eraan denk. Maar ja… ik bak dan ook erg lekkere kaneelbroodjes. Al zeg ik het zelf.

Van werken is niet meer zo heel erg veel terecht gekomen, maar ik heb wel al een schets van de eenhoorn gemaakt. Ik weet nu hoe hij eruit gaat zien.

Dat is in ieder geval iets.

Morgen is het Hemelvaartsdag en de meeste mensen hebben vrij tot en met maandag, 6 juni, de nationale feestdag.

Ik niet. Ik doe niet aan de gebruikelijke vrije dagen. Dat komt omdat ik mijn gewone werkdagen nogal eens doorbreng met allerlei activiteiten die niets met werken te maken hebben, waardoor ik in het weekend de tijd moet inhalen.

Want zelfs illustreerders moeten centjes verdienen. Zeker als ze dieren hebben.

De honden kijken mij nu aan alsof ze weten dat ik ook over hen schrijf.

Verhip. Ze moeten nog eten. Ik ook.

Vooruit dan maar.

Eten, beesten verzorgen en dan met een appeltje en thee weg-dromen op de bank. Van Melvin. En Emil.

En hoe ze met elkaar vechten om mijn gunst.

Soms is het toch ook leuk om te veel fantasie te hebben.

DONDERDAG 2 JUNI

Heerlijk gedroomd.

Ik zat met Emil en Melvin in een ijssalon.

Ik had een megacoupe meesterlijk Italiaans ijs met chocolade voor mijn neus staan en er zaten geen calorieën in. Emil en Melvin deden wat ze konden om een goede indruk op mij te maken.

Misschien kwam het door het programma dat ik gisteravond bekeek, waarbij een aantal vrijgezellen streden om de goedkeuring van een alleenstaande dame.

Hoewel het mij rampzalig leek om in haar schoenen te staan, belandde ik in mijn droom dus in een soortgelijke situatie. En in mijn droom was het toch leuk!

Ik kon me bij het wakker worden niet meer herinneren of ik een keuze had gemaakt. Maar ik wist – en weet – wel nog precies hoe het ijs smaakte. Heerlijk.

Na mijn ontbijt overwoog ik zowaar echt ijs te halen, maar ik had geen zin om 10 kilometer te rijden – de dichtstbijzijnde winkel is zo ver rijden – voor ijs dat gegarandeerd niet in de buurt van het heerlijke Italiaanse ijs met bergen chocolade van die nacht kwam. Bovendien heeft het ijs in de echte wereld wel degelijk calorieën. Bergen calorieën.

Hoewel ik normaal gesproken niet meedoe aan de krampachtige pogingen een modellenfiguurtje te kweken – dat gaat toch niet lukken – wil ik het lot niet te veel tarten.

Ik heb trouwens heel hard gewerkt. Nee, niet aan de illustraties. Althans, niet de hele dag. Aan mijn illustraties heb ik net lang genoeg gewerkt om mijn schuldgevoel te sussen.

De rest van de dag heb ik in de wei gewerkt. Ik heb het geheel omgetoverd in een wat knullig *Paddock Paradise*. Misschien niet helemaal zoals het in de boekjes stond aanbevolen met een pad om een paar weidepercelen, waarin bepaalde delen voorzien zijn van verschillende ondergrond, waterelementen of andere vormen van bezigheidstherapie, maar toch iets wat in die richting komt en wat mijn paarden moet motiveren om meer te bewegen.

Ik zag mijn twee schatten namelijk in rap tempo breder worden. En dat had niets met toenemende spierkracht door training te maken. Ik geloof tenminste niet dat af en toe een target aanraken met de neus en zo nu en dan een paar pasjes aan een halster lopen, opweegt tegen de hoeveelheid wortelschijfjes die ze daarvoor krijgen.

Een Paddock Paradise is een van de manieren om de paarden aan de lijn te laten werken. Je kunt hen ook in een kale paddock zetten met alleen maar hooi, maar dat is sneu.

Het paard voorzien van een graaskorf, kan natuurlijk ook. Zo'n omgekeerde bloempot met een gat erin of de tralieversie van een Greenguard die op hun snuit wordt gezet, maakt het onmogelijk om snel te eten. Hetzelfde effect als een maagband voor mensen, zeg maar.

Maar ik heb niet zo veel met graaskorven. De paarden lijken dan op bloeddorstige pittbulls met muilkorven of krijgen een

Hannibal Lecter uitstraling.

Strookbegrazing is ook een mogelijkheid. In dat geval wordt de wei voor een groot deel afgezet en krijgen ze er regelmatig een extra strookje gras bij, door het verzetten van de verplaatsbare prikpaaltjes met stroomdraad.

Maar ook dat idee heb ik meteen weer aan de kant geschoven, want dan staan de paarden zich de hele dag op dat ene strookje vol te proppen alsof hun leven ervan afhangt en ze iedere kostbare kilo – die verloren zou kunnen gaan met een beetje beweging – willen sparen.

Het Paddock Paradise is in mijn ogen dus het enige redelijke alternatief.

Daarom ben ik vandaag maar creatief in de weer geweest met veel draad en paaltjes en heb de wei veranderd in een doolhof met gangetjes en open plekken, waar de paarden wel in beweging moeten komen om hun nodige grasjes bij elkaar te sprokkelen.

Ik denk dat ze mij nu haten. Fientje volgde mijn werkzaamheden in ieder geval met de nodige irritatie.

Fien was overigens niet de enige die naar mij keek.

Emil was er ook. Dat wist ik alleen nog niet, toen ik me nog in het zweet des aanschijns uitsloofde.

Hij stond zomaar opeens achter me, zodat ik bij zijn begroeting van schrik de prikpaaltjes de lucht in gooide. Emil werd net niet doorboord.

Ik droeg een elegante tuinbroek met een interessant modderpatroon en had rubberen laarzen aan. Je begrijpt het... ik was weer op mijn best.

"Oh sorry," zei Emil meteen. Maar hij lachte er een beetje bij. Ik zou het hem kwalijk hebben genomen, als hij niet zo'n leuke lach had.

Heb ik al gezegd dat hij écht een leuke lach heeft?

"Ik wilde je niet aan het schrikken maken, maar ik zag je draden trekken, dwars door de wei heen en vroeg me af wat je aan het doen was."

"De paarden worden te dik, dus zet ik delen van de wei af zodat ze meer bewegen en minder eten."

"Ah. Waarom maak je dan geen gebruik van strookbegrazing?"

Ik legde het hem uit en hij luisterde geïnteresseerd.

"Slim bekeken," vond hij.

Ik kleurde.

Hij vond mij slim!

"Ik ben benieuwd of het werkt," zei ik toch maar bescheiden.

"Wat werkt?"

Sarah. Ik had haar niet eens zien aankomen. Logisch. Ik stond met Emil te praten en wie let dan op de omgeving?

Sarah voegde zich ongevraagd bij ons. Verdorie. Waarom liet ze Emil en mij niet met rust? Wie weet waar het toe had kunnen leiden.

Maar ik hoefde in ieder geval geen uitleg te geven over mijn werkzaamheden en de reden daarvoor (met het risico dat mijn irritatie hoorbaar was), Emil deed dat al.

"Zet die veelvraten toch gewoon in een paddock," zei Sarah

echter. "Veel gemakkelijker dan dat gedoe met die draden."
Ze rolde een beetje met haar ogen en tikte Emil aan. "Kom je?"

Emil leek even te aarzelen, maar gaf helaas toch toe.

Ik keek hen na en zag hoe Sarah veel dichter bij hem liep dan nodig was. De feeks.

Maar ik heb vandaag dus ook aan de illustraties gewerkt. Toch nog. Geen uren, maar net lang genoeg. De eenhoorn is mooi geworden. Ik ben trots op hem.

Eigenlijk hoop ik op een mailtje van Melvin, maar tot nu toe heeft hij niets gestuurd. Viel ik tegen, gisteren?

Het was natuurlijk geen date en het ging om de paarden, maar misschien vond hij mij irritant of zo. Of misschien had hij zich een ander beeld over mij gevormd.

Ik begrijp eigenlijk niet goed dat ik daarover pieker. Melvin heeft mij op weg geholpen met het clickeren zoals hij had beloofd. We hebben koffiegedronken en het was gezellig. Maar het ging werkelijk alleen om de paarden.

Misschien is hij wel getrouwd of zo. Oh help, ik lijk wel een puber.

Riep ik een paar dagen geleden niet dat ik nooit meer een man wilde?

Ritchy riep altijd dat hij niets van mij begreep en dat ik niet goed wijs was. Misschien had hij toch gelijk. Soms begrijp ik mezelf niet eens.

Tijd voor de appel en de thee, denk ik. Misschien is er wel een leuke romantische komedie op de televisie. Kan ik toch nog even wegdromen.

ZATERDAG 4 JUNI

Gisteren overgeslagen, dus nu een verslag van twee dagen.

De dag begon vrijdag goed. Lekker zomers, vroeg opgestaan en fit.

Beetje last van de keel, dat wel, maar niets ernstigs. Ik was al voor dag en dauw met de honden in het bos en had om zeven uur Moesje alweer afgespoeld omdat ze weer ergens in was gesprongen, waardoor het leek alsof ze zwarte lieslaarzen aan had.

Ik weet niet waarin en wil het ook niet weten.

De paarden hadden ook al een vroege knuffel te pakken en om negen uur had ik ontbeten, bananenbrood in de oven staan, en was ik al aan het werk.

Dat bananenbrood had al ik eerder gemaakt, toen ik een keer bananen over had die eruit zagen alsof ze een veertiendaagse vakantie in Spanje achter de rug hadden. Het is een Zweeds recept en ideaal om oude bananen op te maken:

Twee overrijpe bananen, 250 gram magere kwark (het moet wel de illusie van gezond eten in stand houden), 1 dl vloeibare honing, 1 theelepel zout, 2 theelepels bakpoeder, 1 dl grof gehakte cashewnoten (maar met meer en andere noten kan het volgens mij ook), 4 deciliter bloem (al dan niet volkoren. Ligt eraan hoe gezond je wilt lijken) en 2 deciliter havermout.

De hele handel door elkaar prakken en in een beboterde vorm

in een oven zetten, 200 graden, 1 uur. En voilá.

Alleen brandde mijn bananenbrood bijna aan omdat mijn oven te ijverig was.

Ik denk tenminste dat het aan de oven lag.

Maar het smaakte evengoed.

Ik had in ieder geval al behoorlijk wat plakken achter de kiezen toen ik met kleverige handen, een inmiddels lege theekan naast mij, en met Joe Cocker op de achtergrond, een paar belangrijke schetsen voltooide.

Kortom… ik was goed bezig. In ieder geval totdat Moesje en Typje duidelijk maakten dat een onverlaat ons territorium betrad.

Eerst schrok ik. Macht der gewoonte, denk ik.

Maar ik hoorde aan het blaffen van mijn hondenbeesten dat het iemand was die ze kenden.

Emil, dacht ik. Misschien is het Emil. Ik schikte maar meteen mijn haren, waarbij wat bananenbrood in mijn haren bleef plakken en ongewild haarlak verving, en constateerde dat ik een oude korte broek van joggingstof droeg die me niet flatteerde. Net zomin als het veel te grote shirt met gat in de naad van de mouw en kruimels bananenbrood erop geplakt. Typisch.

Melvin, dacht ik toen. Het kon natuurlijk ook Melvin zijn, die toevallig in de buurt was en spontaan op bezoek kwam.

Maar dat veranderde natuurlijk niets fundamenteels aan de situatie.

Ik verzon in mijn hoofd al volop excuses vanwege mijn oncharmante voorkomen, toen Ritchy zijn hoofd door de deuropening stak.

Ritchy! *Of all men?*

Ik geloof dat ik nogal verbijsterd keek, terwijl hij zich voor zijn doen wat verlegen opstelde en grijnsde als een onnozel schaap.

"Kom ik ongelegen?"

"Eigenlijk wel, ja. Ik was aan het werk," reageerde ik snibbig.

"Oh." Hij kwam natuurlijk toch naar binnen.

"Wat ruik ik? Heb je gebakken?"

"Bananenbrood." Ik grijnsde, want ik wist dat hij dat niet lustte. "Stukje hebben?"

"Bah, nee. Ik snap niet dat je die kleffe rommel kunt eten."

"Lekker."

Ritchy ging zitten. Hij was dikker geworden, stelde ik tevreden vast. Ik zag zowaar zijn buik opbollen onder zijn shirt. Zijn gezicht was ronder geworden. Zijn blonde krullen had hij afgeknipt in een vergeefse poging een stoer uiterlijk te kweken met stekeltjeshaar. Maar Ritchy was ook zonder krullen niet stoer.

"Heb je koffie?" vroeg hij.

Ik knikte en stond op om koffie te maken. Zoals ik dat jarenlang heb gedaan. Eigenlijk had ik het hem zelf moeten laten doen. Of hem moeten wegsturen. Maar oude patronen doorbreek je nu eenmaal niet gemakkelijk.

"Jee, Molly, dat shirt…" merkte hij op.

Ik draaide mij om en keek hem recht aan. "Iets mis mee?"

"Daar kun je toch niet mee rondlopen? Het is kapot en je hebt met die rommel geknoeid…"

"Dit is mijn huis, Ritch. Ik bepaal zelf waar ik in rondloop."

Hij bond zowaar in en knikte.

Daarna kwam hét gesprek. Het liep niet zo lekker tussen hem en zijn nieuwe liefde; zoveel was er eigenlijk niet veranderd en bla bla bla.

Terwijl hij zijn ziel blootlegde, vroeg ik mij af of ik hem ooit terug zou willen. Ik geloof het niet. Ik had medelijden met hem en voelde leedvermaak. Maar ik geloof niet dat ik naar hem verlangde.

Hij vond het fijn dat hij met mij had kunnen praten, kweelde hij toen hij vertrok. Vroeger, vier maanden, zevenentwintig dagen en pakweg zes uur geleden, rolde hij met zijn ogen als ik wilde praten. Was hij veranderd of waren alleen de omstandigheden veranderd?

Ik wilde weer gaan werken toen hij weg was, maar het lukte niet meer zo goed. De concentratie was weg. Verdwenen. Hopeloos zoekgeraakt.

Ritchy's schuld.

Ik surfde dus maar wat op het paardenforum rond, bemoeide mij met zaken waar ik nog steeds niet zoveel van af wist, bekeek nog wat zadels op de advertentiesite en besloot uiteindelijk dat zadels maatje olifant niet veelvuldig verkrijgbaar waren.

Daarna heb ik nog maar even met de paarden gewerkt. Ik

dacht aan alles wat Melvin mij had geleerd en het ging opeens stukken beter. Ik voelde mij bijna een profesional.

Gisteravond kreeg ik trouwens een berichtje van Melvin. Hij vroeg hoe het met de training ging.
Ik heb nog steeds geen antwoord gestuurd. Het ging gisteren dus goed, maar als ik dat schrijf, denkt hij dat ik geen hulp nodig heb. En ik wil zijn hulp eigenlijk wél nodig hebben. Misschien kan ik vertellen dat Fientje alles pikt omdat ze denkt dat het iets oplevert sinds het targetten? Zou dat voor hem een reden zijn om hierheen te komen en verder te gaan waar we waren gebleven? En dan bedoel ik niet alleen de training.

Maar dat was dus allemaal gisteren.
Over vandaag ben ik snel uitgeschreven.
Vandaag heb ik niet zoveel gedaan. Ik ben namelijk snipverkouden.
De hele winter nergens last van gehad en nu, midden in de zomer, ben ik opeens snipverkouden. Ik denk dat het de schuld van Ritchy is. Hij heeft vast een virus meegesmokkeld toen hij op bezoek kwam.
Typisch iets voor hem!
Maar ik voel mij dus beroerd, heb watten in mijn hoofd en vandaag alleen maar rondgehangen, gelezen, oude films gekeken, thee met honing gedronken en me zielig gevoeld.
Hopelijk gaat het morgen beter.

ZONDAG 5 JUNI

Slecht geslapen en nog steeds aan het snotteren. Waar komt al dat snot toch vandaan? Zit mijn hoofd vol met snot en bega ik daarom soms blunders?

Vannacht trouwens ook nog opgestaan voor Fien.

Ze had mijn nieuwe omheining van het Paddock Paradise getrotseerd en stond op een verboden stuk.

Dat was nog niet zo erg geweest, als Thea en Fien niet paniekerig naar elkaar hadden staan roepen.

Maar dat deden ze dus wel en toen ik daarvan wakker schrok – na twee uur draaien, snotteren en nog meer draaien was ik net in slaap gevallen – kwamen bij het horen van hun hysterisch gegil allerlei schrikbeelden in me op zoals ontsnapte paarden die onder auto's renden en paarden die door enge mannen werden mishandeld.

Nu komen hier nauwelijks auto's voorbij – 's nachts al helemaal niet – en stikt het hier nog minder van de enge mannen die achterom lopen om hun lugubere plannen ten uitvoer te brengen, maar je weet het nooit zeker.

In mijn nachthemd en rubberen laarzen, gewapend met zaklantaarn en hondenriem, ging ik dus midden in de nacht naar buiten, op de voet gevolgd door twee opgewonden honden die meteen maar de buurt bij elkaar blaften.

Er was natuurlijk niets te zien, maar ze nemen graag het zekere voor het onzekere.

Ik zocht ondertussen al strompelend mijn weg door de wei en zag het probleem toen het schijnsel van mijn zaklamp op Fientje viel. Ze stond aan de verkeerde kant van de draad paniekerig te hinniken. Thea liep onrustig op en neer en maakte schijnbewegingen richting draad.

"Nee!" riep ik.

Ja, dacht Thea en ze liep opeens dwars door mijn zorgvuldig aangelegde afscheiding heen. Draadjes knapten alsof het papierreepjes waren en paaltjes vlogen sierlijk door de lucht.

In het verboden stuk vond een innige hereniging plaats, terwijl ik vermoeid de vakkundig gesloopte omheining bekeek. Terwijl Fien en Thea na de hereniging zij aan zij richting stal wandelden, mij slechts een wat minachtende blik toewerpend – ik was tenslotte niet meteen gekomen toen ze mij nodig hadden, waardoor ze het zelf hadden moeten oplossen – probeerde ik de omheining min of meer te repareren met de vakkundige hulp van de honden, die erin slaagden mij drie keer te laten struikelen.

Eenmaal terug in bed lag ik weer ruim een uur wakker, voordat ik eindelijk in een dromeloze slaap sukkelde.

Vanmorgen heb ik Melvin trouwens eindelijk een mailtje terug gestuurd. Ik heb eerlijk verteld dat het tot dusver goed ging met clickeren, maar heb ook de kleptomanische neigingen van Fientje genoemd. Na een korte aarzeling heb ik geschreven dat ik niet zo goed wist hoe ik nu verder moest.

Ik had natuurlijk informatie kunnen opzoeken of les-dvd's

kunnen bestellen, zoals ik voorheen met Parelli deed. Maar ja… dan zou ik Melvins hulp niet nodig hebben. Dat zou toch jammer zijn.

Ik had mij vanmorgen ook voorgenomen om de omheining van mijn Paddock Paradise weer op orde te brengen, omdat de reparatie van afgelopen nacht zelfs nauwelijks de naam 'broddelen' verdroeg, maar Silvy dook opeens op en stelde voor om samen naar High Chaparell te gaan.

Dit weekend was er een bike-meeting en ze had zin in het bezichtigen van stoere getatoueerde mannen en stoutmoedige cowboys.

Silvy is eigenlijk heel braaf en ze is gelukkig getrouwd met Kalle, maar ze mag graag zo nu en dan een onschuldige blik op mannen van staal werpen. Gewoon voor de lol.

Natuurlijk ging ik mee. Want ook ik zit graag achter een kop koffie en een wafel met jam en room om naar de plezante voorbijgangers te kijken. Met zulke dagen is er gewoon veel moois en spannends te zien.

Het was heerlijk weer, de stoere mannen waren rijkelijk gezaaid en we genoten van ons uitje.

Op weg naar huis kocht ik een plastic zwembadje voor mijn honden. Thuis het ding meteen opgeblazen en gevuld, maar ze durfden er niet in. Heb ik weer.

Morgen ga ik naar een mendag voor Noord-Zweedse paarden. Alleen.

Wie weet wie ik daar nog tegen kom.

Misschien een derde bewonderaar?

In mijn fantasie heb ik er tenslotte al twee.

Het is maar goed dat Melvin en Emil geen gedachten kunnen lezen.

MAANDAG 6 JUNI

Nationaal Dag en dus een feestdag in Zweden. Veel mensen hebben vrij, dus heb ik mijzelf ook maar verlof gegeven.

De wedstrijd gebruiksmennen was leuk. Ik krijg meteen zin om ook te mennen. Ik heb er de paarden voor. Zowel Fientje als Thea zijn geschikte menpaarden.

Theoretisch tenminste wel.

Alleen kan ik het zelf nog niet echt. Maar alles valt te leren.

Ik besluit ook maar meteen enthousiast om mij op het zoge-naamde gebruiksrijden – waarbij je al rijdend behendigheid en samenwerking met het paard moet demonstreren bij het uitvoeren van opdrachten in een terrein met natuurlijke hin-dernissen – te gaan toeleggen.

Toegegeven; ik ben nog niet eens zo ver dat ik op mijn paard kan stappen, maar op een dag komt het er vast van en dan ver-schijn ik snel genoeg aan de start. Met Thea. Niet met Fientje natuurlijk, want dan raken mijn voeten de grond.

Fien zou trouwens de geringste poging in die richting meteen de kop indrukken. Ze is assertief genoeg.

Maar het was dus een leuke dag met veel zon en veel wind.

Ik was vastbesloten dit keer bij thuiskomst meteen de Pad-dock Paradise te herstellen, maar trof mijn paarden in de tuin aan.

Goed… ze hadden dit keer mijn met zweet en tranen aangelegde omheining laten staan en mij een keertje gras maaien bespaard, maar ook het poortje tussen wei en tuin vakkundig gesloopt, de plantjes geconsumeerd en twee tuinstoelen vernield. Ze waren in een opperbest humeur toen ik hen met ronde buiken aantrof in mijn tuin en absoluut niet van plan zich te laten vangen. Uiteindelijk was het gras nog niet helemaal op. Dat er bovendien een heleboel lol te beleven viel, ontdekten ze tijdens mijn pogingen om hen een halster om te doen.

Fien en Thea galoppeerden vrolijk door de tuin en speelden krijgertje, terwijl ik vermoeid en een beetje mopperend achter hen aan liep.

Nu weet ik best dat er goede paardvriendelijke methodes zijn om onwillige paarden te vangen, maar na een dagje uit, pijn aan de voeten en moe omdat ik te weinig had geslapen, vergat ik dat zomaar.

"Hulp nodig?" hoorde ik opeens achter mij.

Geschrokken keek ik om, recht in het gezicht van Emil, die zijn grijns echt niet kon beheersen. Ik zuchtte diep en knikte. "Ze zijn uitgebroken."

"Dat zie ik." Hij nam als vanzelf een touw van mij over en legde een verbazende handigheid aan de dag, toen hij Thea te grazen nam. Misschien had ze het ook gewoon niet van hem verwacht. Toen Thea eenmaal richting wei werd geleid, kon ik mijn ongeleid projectiel Fientje ook vangen en in de wei zetten.

Ik wilde de gehavende poort met touwen repareren, maar Emil schudde zijn hoofd, vroeg hout, spijkers en hamer en ging zomaar aan het werk, in míjn tuin, bij míjn wei. Nou ja, strikt genomen bij de wei van de buren.

Het was leuk om hem aan het werk te zien. Hij kreeg het er warm aan, trok zijn shirt uit en ik probeerde niet te staren.

Het was vast gezellig geworden, als Sarah niet opeens was opgedoken.

"Paarden ontsnapt?" vroeg ze aan mij. Ze wierp een blik op Emil, met naar mijn gevoel iets te veel interesse.

Ik knikte.

"Veelvraten," vond Sarah. "Dat heb je met koudbloedpaarden."

"Volgens mij eten alle paarden graag," bracht ik ertegen in.

Ze keek mij aan en glimlachte met die typische arrogante blik van haar. "Ik geloof niet dat mijn paarden zich de moeite getroosten om dwars door een poort te banjeren. Dat is meer iets voor bulldozers." En ze wierp Thea een veelbetekenende blik toe.

"De poort was al stuk," loog ik.

"Juist ja," zei ze. Het was duidelijk dat ze er niets van geloofde en dat irriteerde mij mateloos. Zelfs al had ze er alle reden toe.

Maar haar aandacht ging alweer uit naar Emil.

"Kom je, Emil? Moeder heeft cake gebakken."

"Ik ben bijna klaar."

"Ik wacht wel."

Kreng, dacht ik. En die mening werd versterkt, toen ze naar

hem toe ging en een uitzonderlijke hulpvaardigheid aan de dag legde. Ik werd gewoon buiten spel gezet. Als ik een gehaaide vamp was geweest, had ik dat vast kunnen oplossen. Maar helaas…

Veel te snel was Emil klaar. Toen ik mijn dankwoorden eruit stotterde en Emil met een oogverblindende lach vertelde dat hij het graag deed en vertrok onder druk van Sarah, wendde Sarah zich nog even tot mij.

"Leuke vent hè," zei ze.

Ik haalde wat onnozel mijn schouders op. Ze liet een alwetende glimlach zien.

"Reken maar dat ik er werk van maak," siste ze.

"Wil je hem… Ik bedoel, jullie zijn toch gewoon jeugdvrienden en zo?"

Ik hoopte dat ze de paniek in mijn stem niet hoorde.

"Nog wel," zei ze. Haar lach werd breder. "Reken er maar op dat het verandert."

Ze draaide zich om, liep haastig achter Emil aan en haakte haar arm in die van hem.

Zelfs nu ik hier aan de tafel zit, zie ik het zo weer voor me.

Ik kan het mens echt niet uitstaan. Sarah dus.

Vanavond zoek ik maar troost in een flinke bak ijs en morgen maak ik mijn Paddock Paradise écht in orde.

Misschien komt Emil dan wel spontaan helpen.

DINSDAG 7 JUNI

Vandaag heb ik hard gewerkt. Dat viel niet mee, want het was behoorlijk benauwd en er hangt de hele dag al onweer in de lucht. Ik hoor het ook nu dreigend rommelen, maar het nadert slechts langzaam.

Het maakt verder niet uit, want ik hoef niet meer buiten te zijn en de aarde kan wel wat water gebruiken.

Ik heb vanmorgen de illustraties voor De Eenhoorn afgerond en opgestuurd en vanmiddag de Paddock Paradise op orde gebracht.

Ik hoefde het niet eens alleen te doen!

Ik was nog maar net bezig, toen Emil weer op kwam dagen. Hij stond weer opeens achter me. Het wordt bijna een gewoonte van hem. Maar mij hoor je niet klagen.

Hij vroeg of ik hulp kon gebruiken.

En of ik hulp kon gebruiken.

Ik probeerde niet al te gretig te klinken toen ik aangaf dat ik daar heel blij mee was en hij ging meteen aan het werk. Ongemerkt nam hij de leiding over, wat ik niet erg vond. Ik heb de neiging nogal chaotisch te werken.

Iets waar hij duidelijk geen last van heeft.

Bovendien was het erg leuk om onder zijn leiding te werken. Dat gaf een goede aanleiding om vaak naar hem te kijken.

Uiteraard bood ik hem na het werk koffie met koekjes aan. Een aanbod dat hij graag aannam. Hij is tenslotte een Zweed en voor een Zweed gaat niets boven *fika*: koffie met koekjes en/of gebakjes. Liefst veel koekjes en/of gebakjes.

We zaten in de tuin en hij vroeg hoe ik in Zweden terecht was gekomen en hoe het mij hier beviel. De geijkte vragen dus, maar uit zijn mond klonk het bijna als de meest intelligente vragen die iemand had kunnen stellen. Als een waar bewijs van interesse, zeg maar...

IJverig vertelde ik over alle gebeurtenissen, zelfs over Ritchy. Uiteraard liet ik blijken dat Ritchy de oorzaak van de huwelijksproblemen was, maar dat ik hem absoluut niet miste.

Natuurlijk vroeg ik wat hij in het buitenland zoal had gedaan. Hij vertelde dat hij antropologie had gestudeerd en zijn tijd had doorgebracht met het bestuderen van verschillende culturen, in opdracht en uit eigen interesse. Hij begon net over de Maori's, toen Ritchy opeens de tuin binnen wandelde.

Ik liet bijna de thee uit mijn handen vallen. "Ritch?"

"Ik was in de buurt en aangezien we zaterdag zo fijn met elkaar hebben gepraat, leek het mij een goed idee om je nog een keertje te bezoeken." Hij praatte natuurlijk met opzet Zweeds en wierp Emil een triomfantelijke blik toe, terwijl hij de nadruk legde op het fijne gesprek dat we zogenaamd hadden gevoerd.

De knurft.

"Maar als het ongelegen komt, ga ik weer," zei hij er meteen gedienstig achteraan.

"Oh nee, ik moet toch gaan," zei Emil. Hij stond al op.

"Nee, dat hoeft niet," reageerde ik haastig. "Ritch komt vast alleen even gedag zeggen. Thuis wacht tenslotte zijn vriendin op hem."

"Oh nee hoor," zei Ritchy meteen.

Ik keek hem woedend aan. Hij zag het wel, maar deed alsof hij de hint niet begreep.

"Het maakt niet uit," zei Emil. "Ik moet werkelijk gaan." En hij ging.

Ik kon Ritch vermoorden.

"Wat moet je?" vroeg ik niet al te vriendelijk aan hem.

"Gewoon gezellig kletsen. Wie was dat?"

"Emil."

"Je nieuwe vriend?"

"Gewoon een vriend."

"Waarom wilde je mij dan weg hebben?"

"Ik wilde je niet weg hebben."

"Verliefd?"

"Doe niet zo idioot."

"Ja inderdaad. Dat is idioot. Na mij voldoet vast niemand meer." Hij grijnsde.

"En dat is pas echt idioot," gromde ik.

Hij ging zitten en at de halve koekjestrommel leeg. Natuurlijk bleef hij veel te lang.

Uitgerekend nu een onweer letterlijk boven mijn hoofd hangt, wat in het zuiden volgens Ritch al voor veel verderf heeft gezorgd, zit ik weer alleen in huis, met Moesje rillend bij mijn voeten.

Ik hoop dat de paarden veilig blijven.

Ik trek dadelijk de elektriciteit er maar uit. Voor de zekerheid.

WOENSDAG 8 JUNI

Het viel erg mee met het onweer. Gisteravond heeft het wat gedonderd en kwam de regen een tijdje met bakken uit de hemel, maar verschrikkelijke branden, overstromingen en andere rampen bleven achterwege.

Behalve dan Ritchy's komst op het verkeerde moment. Dat was natuurlijk een ramp.

Ik geloof trouwens dat Ritchy spijt heeft van zijn beslissing het roer om te gooien en met een Zweedse in zee te gaan. Of in bed dus.

Zijn Zweedse schone schijnt met momenten een haaibaai te zijn en dat bevalt hem niet.

Ik dacht dat het er niet toe deed, maar ik heb toch nog een deel van de nacht wakker gelegen en me afgevraagd of ik hem terug zou nemen, als hij daarom zou vragen.

Maar nee... ik geloof niet dat ik hem terug wil. Ook al voelt het vertrouwd als ik met hem praat.

En ook al haat ik het om dat toe te geven.

Vanmorgen heb ik met de paarden gewerkt. Ik heb de gebruikelijke clickeroefeningen gedaan en zowaar weer een poging ondernomen om Thea netjes aan halster en touw mee te tronen. Dit keer met veel geclick en beloningen.

Het ging niet eens zo slecht, al liep ze me twee keer bijna omver en kon ik nog maar net voorkomen dat ze op mijn voeten ging staan toen ze haar beloning in ontvangst wilde nemen. Maar ik kon vier keer de lijn van pionnen volgen en ik denk dat ze het wel leert. Uiteindelijk in ieder geval wel. Ardenners schijnen tenslotte erg oud te kunnen worden.

Hoe ik precies op het idee kwam om met Fientje een wandelingetje te maken, weet ik niet meer. Misschien kwam het door het aangename weer. Maar mogelijk speelde het ook een rol dat ik aan een nieuwe opdracht moest beginnen.

Ik heb de onhebbelijke gewoonte om dat zolang mogelijk uit te stellen, omdat ik op zo'n moment geen idee heb hoe ik gestalte moet geven aan de figuren uit het te illustreren boek en daarom allerlei bezigheden verzin, die een excuus moeten vormen voor mijn uitstelgedrag. Ik weiger namelijk om de waarheid onder ogen te zien; namelijk dat ik op dat moment inspiratieloos en concentratieloos ben en dat ik te weinig zelfdiscipline heb om daar echt iets aan te doen.

Uiteindelijk bleek mijn idee om met Fien te wandelen ook niet het meest briljante plan van de week. Ik had kunnen weten dat Thea niet alleen in de wei wilde blijven.

Logisch gezien kun je je afvragen waarom een paard van bijna 1000 kilo denkt dat ze volkomen verloren is als een pony, die slechts 1/10e van haar gewicht meezeult, een paar minuutjes uit zicht verdwijnt. Maar paarden denken niet altijd logisch.

Mijn wandelingetje met Fientje liep dus uit op een fiasco.

Niet vanwege Fientje, want die vond het leuk om eens op straat te komen en wandelde dus vrolijk mee.

Nee, het was Thea, die voor de problemen zorgde.

Dat ze door de wei denderde toen ik met Fien vertrok, was nog geen probleem. Maar dat ze dwars door de omheinig rende, toen ik uit het zicht dreigde te verdwijnen, was wat minder prettig.

Ik had het niet meteen in de gaten. Ik liep met Fientje voorbij de stallen van de buren en keek met een beetje afgunst naar Sarah, die een bruine opzadelde, toen ik opeens het lawaai van Thea's hoeven achter mij hoorde.

Geschrokken keek ik om en zag Thea ontzettend verontwaardigd achter ons aan hollen. Hoe haalden wij het in ons hoofd om haar moederziel alleen achter te laten?

De bruine van Sarah kreeg bijna een hartaanval en raakte volledig in paniek.

Hij sprong tegen Sarah aan, die achterover kukelde, waarbij het ongetwijfeld dure zadel door de lucht vloog en met een harde klap tegen de grond smakte.

Thea bleef stokstijf staan en realiseerde zich nu pas dat ze in een nieuwe omgeving was, met nog meer paarden en andere spannende dingen.

De bruine rukte ondertussen hysterisch aan de touwen, waarmee hij stevig tussen twee palen was vastgebonden. Wist hij niet dat Thea ook een paard was?

Sarah krabbelde intussen overeind en keek mij laaiend aan.

"Sorry," stamelde ik. Ik had natuurlijk meteen moeten ingrijpen, maar wist niet hoe. Ik kon Fientje niet loslaten en Thea had geen halster om.

De bruine slaagde erin om het halster te slopen, schoot weg bij de stevig ogende palen en draafde knorrend en briesend met omhoog staande staart om Thea heen, die uiteraard liet zien dat ze ook lekker druk kon doen.

"Grijp dat beest!" beet Sarah mij woedend toe, terwijl ze haar eigen bruine probeerde te pakken.

De bruine ontweek haar als een Samurai-meester.

Thea was niet zo soepel, maar ik was des te onhandiger. Met een meedansend Fientje aan een touw, graaide ik naar de manen van Thea – wat totaal geen nut had omdat je een paard van dat kaliber niet bij de manen vast kunt houden – en eindigde met een pluk manen in mijn handen. Fientje trok zich los en nam onmiddellijk deel aan een soort indianendans, die de twee grote paarden nu hadden onwikkeld.

Sarahs paarden in de wei naast de stallen raakten ook opgewonden en stormden van links naar rechts, bokkend en briesend. De bruine, Thea en Fien renden erheen om aan de andere kant van de draad gezellig mee op en neer te rennen.

Sarah brieste ook. "Waarom heb je je omheining niet op orde?" vroeg ze woedend.

"Ik had mijn omheining op orde," antwoordde ik wat machteloos.

"Met zo'n bulldozer heb je meer nodig dan onnozele stroomdraadjes," snauwde Sarah mij toe. "Dadelijk breekt een van mijn paarden nog iets."

Ze wachtte niet op een reactie van mij, maar stoof haar dure stallen in en kwam terug met wat halsters en touwen. "Vang die mormels van je, dan pak ik Levis."

Het was gemakkelijker gezegd dan gedaan, maar het deed mij goed dat ik uiteindelijk als eerste erin slaagde om mijn paarden te grijpen. Eerst kreeg ik Fientje te pakken, die haar halster natuurlijk nog droeg – met het touw er nog aan.

Ik bond Fien meteen stevig vast en slaagde er daarna in om Thea een touw om de nek te leggen, zonder dat mijn voeten werden vermorzeld. Sarahs halsters probeerde ik niet eens te gebruiken. Dat paste waarschijnlijk niet eens om haar oor.

Maar ik had haar vast – of bungelde min of meer aan de andere kant van het touw – en gaf daarmee Sarah de mogelijkheid om haar opgewonden standje Levis te vangen. Iets wat haar uiteindelijk helaas wel lukte.

"Breng die mormels naar huis. Ik vraag pap wel om naar die draad van je te kijken," beet ze mij toe.

Ze had haar handen vol aan Levis, die nog altijd opgewonden was.

Beschaamd droop ik af, met Fientje en Thea.

Pas toen ik met de twee paarden de wei in liep, realiseerde ik mij dat ik Thea met alleen een touw om de nek over de straat naar huis had geleid en dat het zomaar goed was gegaan.

Dat was toch een wortel waard, vond ik.

En terwijl ik klungelig de draad zover op orde probeerde te krijgen dat de paarden in ieder geval even binnen bleven, kwam de vader van Sarah om wat nieuwe palen in de grond te slaan en het straatdeel van de stroomdraad te vervangen door veel dikkere draad. Hij constateerde daarbij dat er te weinig stroom op de draad stond en adviseerde mij daar iets aan te doen. Blijkbaar was mijn stroomapparaat niet sterk genoeg. Zou kunnen. Het was oorspronkelijk bedoeld voor kleine huisdieren.

Sarahs vader was trouwens niet boos. De vader van Sarah is eigenlijk nooit boos. Hij is niet erg spraakzaam en lijkt altijd de rust zelve. Geheel in tegenstelling tot zijn dochter. Hem mag ik wel.

Ik zorgde voor koffie en koekjes, terwijl hij zwoegde om alles op orde te krijgen.

Verderop oefende Sarah in de bak met de bruine Levis. Hij was nog steeds onrustig en kreeg een paar keer flink op zijn mieter. Blijkbaar moest Sarah haar woede afreageren.

Ik haat het als mensen dat op die wijze doen.

Ik wierp haar natuurlijk een kritische blik toe, maar ik geloof niet dat ze het opmerkte. En als ze dat wel had gedaan, had het haar niets uitgemaakt.

Toen ik weer binnen was en mezelf troostte met een mok double choco-Mocha zag ik dat Melvin een berichtje had gestuurd.

Morgenmiddag komt hij weer hierheen.

Ik had trouwens ook een berichtje van Gaby in mijn mailbox. Ze kan het komende weekend voor een paar euro naar Zweden vliegen. Of het uitkomt? Natuurlijk komt het uit. Ik heb gemaild dat ik het reuze gezellig vind.

Omdat ik het morgen en komend weekend druk krijg met leuke dingen, ben ik vanmiddag toch maar aan het werk gegaan. Ik heb maar liefst drie globale schetsen van kabouters gemaakt.
Ik ben goed.

DONDERDAG 9 JUNI

Het is afgelopen met de zomer. Nou ja, niet echt natuurlijk, maar het is grauw en winderig buiten. Net herfst. Bah.

Vanmorgen heb ik ijverig aan mijn illustraties voor het kabouterboek gewerkt.

Het viel absoluut niet mee om me te concentreren, omdat ik wist dat Melvin kwam.

Ik vroeg me af of ik me netjes moest aankleden en of hij dan niet het idee kreeg dat ik meer zocht achter zijn bezoekjes; of ik al dan niet kaneelbroodjes moest bakken, mijn haren moest wassen of misschien zekerheidshalve een fles wijn in huis halen.

Vooral dat laatste ging natuurlijk te ver, maar het kwam toch even in mij op.

Uiteindelijk koos ik voor mijn spijkerlegging – na zes keer omkleden en voor de spiegel staan – een ruim shirt zodat mijn ronde achterwerk niet te veel opviel, lange wollige sokken – veel te warm, bleek later – en stevige wandelschoenen. Sportief, leuk en toch niet té. Geloof ik.

Ik bakte een eenvoudige cake. Niet te veel werk en dat kon ik er dan bij zeggen. Alsof-ie toevallig in de oven was beland.

Melvin kwam om twee uur, zoals hij had beloofd, en stelde meteen voor om met de paarden aan het werk te gaan.

Het was leuk. Ik vergat zowaar mijn verlegenheid en zenuwen, toen we met de paarden bezig waren.

Fientje oefende targetten, stilstaan, achterwaarts gaan en
wending om de voorhand. Het was ongelooflijk hoe snel ze
alles oppikte onder leiding van Melvin en hoe ijverig ze was.
Mijn Fientje, die vaak al moe kijkt als ze dénkt dat ik iets van
haar wil, stond dit keer gewoon te popelen om de oefeningen
te doen.

Ik kon het niet helpen. Ik stond er zowaar bij te juichen toen
het mij ook lukte.

Thea was iets trager van begrip, maar de kolos deed haar
best. Ik kon haar zomaar leiden – Melvin leidde mij af door
met mij te kletsen, waardoor Thea mij als vanzelfsprekend
volgde – uiteraard wetend dat het beloningen opleverde –
haar drie stapjes achterwaarts sturen met alleen een kleine
beweging van de vinger, en ik liet haar een wending om de
voorhand uitvoeren waarbij de grond dreunde. Het was geweldig en ik was zo trots op de grote zwarte dat ik Melvin
had kunnen kussen.

Ik durfde het helaas niet, maar we hadden in ieder geval lol samen.

Ik zag Sarah, die de vos in de bak longeerde, regelmatig onze
kant uit kijken. Ik weet zeker dat ze zuur keek. Lol met paarden was in haar optie vast niet goed. Misschien was ze wel jaloers. Ik hoop dat ze jaloers was.

Dat het op een bepaald moment hard ging regenen, was niet eens een probleem. Melvin scheen het wel grappig te vinden, dus vond ik het ook grappig. Ik ben erg inschikkelijk als er een leuke man in het spel is.

Na de training ging Melvin mee naar binnen en ik betrapte me erop dat ik honderduit sprak tegen hem. Achteraf geloof ik dat ik hem weinig kans heb gegeven om ook maar iets te zeggen, en daar schaam ik me nu dan weer een beetje voor.
Maar ik vond het toch gezellig en ik heb vlinders in de buik.
Zou hij mij leuk vinden?
Hij geeft les, heb ik inmiddels begrepen. Ik heb tot dusver geen cent betaald, maar al aangegeven dat ik een van zijn leerlingen wil worden. Tegen betaling natuurlijk.
Dat vond hij leuk en op dat moment zag ik dat als hét teken.

Nu ik erover nadenk, besef ik dat hij nooit een lesklant zal afwijzen, omdat hij er de kost mee verdient en dat hij zou hebben aangeboden om het voor mij gratis te doen, als hij mij werkelijk leuk had gevonden.
De gedachte dat hij hulpvaardig en vriendelijk is om mij als klant te winnen, besluipt me nu ook.
Maar ik schuif het aan de kant en maak mezelf wijs dat het niets uitmaakt.
Ik kan hoe dan ook veel van hem leren en het is een leuke vent om in de buurt te hebben. Misschien is dat wel genoeg.
Die vlinders in de buik laten zich wel vaker gelden. Dat zegt

dus niet zoveel. Ik heb gewoon erg onrustige vlinders.

Ik denk dat ik mijzelf maar op een grote mok warme chocolademelk met slagroom trakteer. Ik heb het verdiend.

Vandaag was een mooie dag, ondanks het slechte weer.

En overmorgen komt Gaby.

Gezellig.

VRIJDAG 10 JUNI

Vanmorgen supervroeg opgestaan en de oefeningen met de paarden herhaald, die ik gisteren van Melvin heb geleerd. Komend weekend komt daar waarschijnlijk niets van en ik wilde toch nog een keer oefenen.

Fientje deed ijverig haar best en ging dwars voor mij staan toen ik naar Thea wilde gaan.

Ik was klaar met Fientje, maar zij was niet klaar met mij.

Natuurlijk moet ik op zo'n moment streng zijn, maar ja… als ik haar ondeugende nozemgezicht zie, moet ik toch lachen.

Fientje kreeg dus totaal onpedagogisch wat kriebeltjes en terwijl ze nog na stond te genieten, glipte ik snel naar Thea.

Thea deed haar best, hoewel we even een momentje van meningsverschil hadden. Ze was een beetje boos op mij, maar ik weet niet waarom. Misschien had ze PMS?

Na de paardentraining heb ik de honden uitgelaten, waarbij Typje dit keer zijn hoofd in een mierennest duwde en daarbij een dennennaalden-mierenhoofd opliep en Moesje een verse reeënpoot vond. Iek.

Ik durfde de poot niet af te nemen. Ik ben niet bang voor Moesje, maar het idee om zo'n poot zonder verder beest eraan vast te pakken, bezorgde mij spontane kriebels en jeukende uitslag.

Iek.

De poot ligt nu in de tuin en de honden vermaken zich er om de beurt opperbest mee.

Iek.

Eenmaal binnen bij Kimmy twee teken verwijderd. Nogmaals iek.

Vieze beesten. Teken dus. Niet mijn honden en poes. Nou ja, die zijn ook een beetje vies, maar anders vies.

Vanmiddag heb ik Gaby opgehaald van het vliegveld. Ik had haar al een halfjaar niet meer gezien, maar ze is niet veranderd. Gelukkig niet, want met haar voorkeur voor neonkleurige kleding, ontdekte ik haar meteen in de drukke mensenmassa.

Ze stond te springen op de plaats toen ze mij zag, holde vervolgens naar mij toe en viel me om de hals, terwijl ze "*älskling, min älskling*" riep.

Nu kent Gaby nauwelijks Zweeds, maar ze weet als geen ander dat dit 'schatje, mijn schatje' betekent en zorgde dus giechelend voor de nodige aandacht. Typisch Gaby.

Over haar fantastische nieuwe vriend waren we snel uitgepraat. Toen ze met een 'welke vriend' op mijn geïnteresseerde vraag over hem reageerde, wist ik genoeg.

Samen met Gaby heeft het chaotenmonster bezit van mijn huis genomen en loopt alles in de soep. Maar dat maakt niet uit. Gaby is er en ik ben van plan om van iedere minuut te genieten.

Gaby ook. Op haar aanraden zijn we op weg naar huis langs de *systembolaget* – drankenhandel dus – gereden om een volwassen hoeveelheid wijn in huis te halen.

Ik verheug mij op een gezellige en late avond.

ZATERDAG 11 JUNI

Ik werd veel te vroeg met hoofdpijn wakker. Iets te veel wijn gedronken, vrees ik.

Gaby treft het niet met het weer. Het is de hele dag wat grauw en regenachtig geweest. Ze schijnt het echter niet eens te merken. Ze wil eruit, dingen doen.

Gaby wil altijd dingen doen.

Vanmorgen hebben we met Typje en Moesje gewandeld en die waren niet eens zwart toen we terugkwamen. Daarna hebben we de paarden geknuffeld. Gaby vond Thea geweldig, van Fientje was ze al fan. Daarna zijn we naar Värnamo gegaan. Lekker de stad in, koffiedrinken, gebakjes eten en een chinese lunch genoten bij Lilla Krogen.

Gaby wil altijd koffiedrinken als ze een weekendje naar mij komt. Ze is gek op Zweeds gebak. Bovendien vindt ze het gezellig.

Ik ook.

Eigenlijk had ik niet met haar over Emil en Melvin willen praten, maar toen we terugkwamen uit de stad was Sarah met de vos in de bak aan het oefenen en liep Emil bij de stallen rond. Hij zwaaide toen we voorbijreden en Gaby keek eerst naar hem en toen – met die bekende grijns van haar – naar mij.

"Vertel," zei ze.

"Wat moet ik vertellen?"

"Wie is dat lekkere ding?"

"Een vriend van Sarah."

"De barbie?"

"Jep."

"Ai. Dé vriend?"

"Nee. Een vriend."

"Aha."

"Hoezo aha?" vroeg ik, terwijl ik de auto parkeerde.

"Wanneer maak je er werk van?"

"Hoezo?" vroeg ik onnozel.

"Kom op, Molly. Je vindt hem leuk. Natuurlijk vind je hem leuk. Hij ís leuk."

"Dat vindt Sarah ook."

"Hij was toch gewoon een vriend van haar?"

"Ja. Maar ik geloof niet dat ze het daarbij wil laten."

Gaby maakte een wegwerpgebaar. "Vriendschap loopt bijna nooit uit in een romance. Behalve dan in films. Herinner je je die film nog met Meg Ryan? Nou ja, doet er niet toe. In werkelijkheid wordt een vriendschap zelden meer dan alleen die vriendschap."

"Sarah denkt daar anders over."

"Dan moet je ervoor vechten."

"Ik? Tegen perfekte Sarah?" Ik begon te lachen. Een beetje overdreven en erg gemaakt, vrees ik. "Ik wil geen man meer. Ik heb genoeg ellende gehad met Ritchy," beweerde ik met veel te veel nadruk.

"Molly, bespaar mij je toneelspel. Ik ben het, Gaby. Je vindt hem leuk, dus doe daar wat mee."

Ik haalde mijn schouders op.

"Nodig hem uit voor een kop koffie of vraag hulp bij het trainen van die paarden van je."

"Melvin helpt mij al bij de training."

Het was eruit voordat ik er erg in had. Ik hoopte heel even dat het niet de aandacht van Gaby trok, maar ik had natuurlijk beter moeten weten.

We stapten op dat moment net uit de auto en Gaby richtte zich met een ruk tot mij.

"Melvin?"

Ik haalde mijn schouders maar weer op. "Zullen we naar binnen gaan?"

Gaby keek mij met samengeknepen ogen aan. "Wie is Melvin?"

"Melvin helpt mij bij het trainen van de paarden. Dat is alles. Het gaat dadelijk regenen volgens mij."

"Hallo! Molly! Moet ik het nog een keer zeggen? Ik ben het; Gaby."

"Ja?"

"Vertel."

"Goed dan." Ik zuchtte maar eens diep. "Ik heb Melvin via een forum leren kennen. Het is een Belg, maar hij woont in Zweden, niet zo ver hiervandaan. Hij is al twee keer hier geweest en hij is leuk."

"Heb je iets met hem?"

"Natuurlijk niet. Ik zei toch dat ik geen man meer hoefde."

"Juist ja." Gaby grinnikte.

Een beetje beledigd, omdat ze mij – terecht – niet serieus nam, liep ik voor haar uit naar binnen, waar de honden in hun enthousiasme nauwelijks een spaander van ons heel lieten.

Gaby vocht tussen de rondwervelende honden door meteen haar weg naar de keuken en zette koffie. Ze voelt zich helemaal thuis bij mij.

Ondertussen viste ik de nieuw aangekochte kauwbotjes uit mijn tas en deelde ze uit aan de honden. Kimmie kreeg een paar poezensnoepjes. Ik plofte vermoeid neer aan de keukentafel. Met Gaby de stad in was leuk, maar vermoeiender dan het lopen van een maraton.

Gaby schonk koffie voor zichzelf en mij in, ging tegenover me zitten en keek me recht aan. "Twee leuke mannen in de buurt. Wie had dat nu gedacht."

"Grmpf."

"Wie vind je het leukste?"

"Weet ik niet. Doet er niet toe. Ik wil geen man, Sarah wil haar klauwen in Emil slaan en ik weet niet eens of Melvin getrouwd is of zo."

"Weet je wat jij moet doen?"

"Ja, allebei vergeten."

"Doe niet zo onnozel. Dan ben je wel gek. Nee, je moet ervoor zorgen dat je beide heren beter leert kennen. Gooi je hengeltje uit naar Emil en vis Melvin uit."

"Alsof ze op mij zitten te wachten."

"Emil lachte naar jou toen hij zwaaide. Leuke lach trouwens.

Als hij in mijn buurt woonde, zou ik hem ook wel lusten." Ze keek even dromerig voor zich uit.

"Hij is ook leuk en behulpzaam," zei ik maar.

"Hij heeft je geholpen?"

"Met de stal en de wei."

"Zomaar?"

"De stal op verzoek van de buren. Met het vangen van de paarden toen ze uitgebroken waren, het repareren van de draad van het Paddock Paradise en het poortje uit zichzelf."

"Lieve meid, hoor je wel wat je daar zegt? Zou hij dat werkelijk doen als hij je niet leuk vond?"

"We hebben koffiegedronken," zei ik nu een beetje voorzichtig.

"Daar heb je het al," riep Gaby tevreden uit.

"Maar iedere keer komt Sarah opduiken."

"Natuurlijk. Ze heeft allang in de gaten dat hij je leuk vindt."

"Nou ja, dat weet ik niet. Misschien is hij alleen hulpvaardig."

"Dan kwam Sarah niet iedere keer opduiken."

Ik haalde maar weer even de schouders op.

"En die Melvin is ook aardig?"

Ik knikte. "Behulpzaam en aardig. We hebben gekletst en koffiegedronken…"

"Ook al? Misschien moet je die mannen een borrel geven. Worden ze wat losser van." Ze grinnikte.

"Dan kan ik die borrel beter zelf drinken," merkte ik op.

"Moet je misschien maar doen."

Ik haalde maar alweer de schouders op. Nog even en het werd een zenuwtic.

"Je móét er werk van maken," benadrukte Gaby nog een keer. "Denk erom." Ze dronk de koffie op. "Volgende week bel ik en wil ik de vorderingen horen."

"Je bent niet goed wijs."

"Weet ik. Zullen we aan de wijn beginnen?"

"Nu al?"

"Waarom niet? We hoeven geen auto meer te rijden," zei ze lachend. Ze stond meteen op en pakte de wijnglazen uit de kast.

En nu zit ik hier dus te schrijven met een licht gevoel in mijn hoofd. Ik weet dat het nog erger wordt in de loop van de avond. Het wijntje van daarstraks was het aperitief. Zo meteen drinken we een glaasje bij het eten – Gaby kookt vandaag; macaroni met saus en parmezaanse kaas – en uiteraard nog wat glaasjes gedurende de avond.

Ik denk dat ik vanavond op bed moet springen als het voorbij komt. Mijn bed heeft namelijk de neiging om rondjes om mij heen te draaien, als ik te diep in het glaasje heb gekeken.

Nou ja. Maakt niet uit. Zo vaak komt Gaby nu ook weer niet.

Een feestje moet kunnen.

Ik krijg er zowaar dorst van.

MAANDAG 13 JUNI

Pinkstermaandag in Nederland. Hier niet. Misschien ook wel hier, maar het wordt niet gevierd. Althans niet met een vrije dag.

Gisteren heb ik verstek laten gaan; ik heb niet geschreven.
Ik heb Gaby daarentegen meegesleept naar een evenement in Växjö; een koudbloeddag, waarbij koudbloedpaarden in allerlei disciplines werden geshowd.
Het was gezellig. Een heerlijk zonnetje dat zich eindelijk weer liet zien, een gezellig sfeertje en een prachtige omgeving met huizen van vroeger, zoals een kruidenierswinkel uit vervlogen tijden, een oude watermolen compleet met massa's spinnewebben – Gaby raakte een beetje in paniek en rende gillend de molen uit. Ze is als de dood voor spinnen – een smederij, een café, een informatiebureau met veel te mooie spulletjes, handwerk en nog veel meer. En oh ja, paarden natuurlijk. Prachtige mooie glimmende paarden die veel meer konden dan die van mij. Maar ja… die mensen trainen al jaren. Dat lijkt mij best een goed excuus.

Ik heb Gaby verteld dat ik volgend jaar wil deelnemen aan een wedstrijd gebruiksrijden.
Ze vond het geweldig en kwam zeker kijken, zei ze. Ze wist niet dat ik dat werkelijk zou gaan doen, zei ze. Ik ook niet. Het

rolde gewoon mijn mond uit en ik ben bang dat ik er niet meer van af kom.

's Avonds hebben we ons natuurlijk vol overgave op de wijn geworpen en daarbij Emil en Melvin besproken.

Ik heb Gaby beloofd dat ik er werk van zou maken. Ik hoef misschien niet uit te leggen dat ik op dat moment in een redelijk beschonken toestand verkeerde en niet verantwoordelijk was voor de dingen die ik zei.

Gaby's meest recente ex kwam ook ter sprake.

"Hij peuterde in zijn neus," vertelde ze huiverend. "Hij veegde de snotbellen af aan mijn chesterfield bank."

Nu weet ik hoezeer Gaby aan dat oude bankje is gehecht en ik besef dat de jongeman aan heiligschennis heeft gedaan. Ik schudde dan ook ongelovig en vol afkeer mijn hoofd, zoals dat van mij werd verwacht.

"En hij stonk…" liet ze erop volgen. "Zweet." Ze huiverde opnieuw. "Zijn voeten stonken naar zweet."

"Oei."

"En als wij ergens waren, noemde hij mij 'zijn' Gaby. Alsof ik zijn persoonlijk bezit was. Iek."

"Aiai."

"Hij hield van haring met uien," ging ze verder. Ze was nu op dreef. "En dan wilde hij kussen. Ná het eten van die viezigheid."

"Aargh."

"Hij vond mijn kat dom."

"Dat is het toppunt. Groot gelijk dat je hem de deur hebt gewezen."

"Niemand noemt mijn kat dom," zei Gaby.

We proostten.

We roddelden nog een beetje over gezamenlijke kennissen – wat ontzettend slecht en gemeen van ons was, maar oh zo leuk – en gingen te laat naar bed.

Vanmorgen hebben we nog met de honden gewandeld. Het was weer heerlijk weer en Moesje en Typje hadden bijna een jonge patrijs gevangen; het ging nog maar net goed. Voor de patrijs dus.

Een korte achtervolging van een vos die ons pad kruiste met een halve haas in zijn bek, leidde gelukkig ook verder nergens toe en we bereikten weer veilig de thuishaven.

We dronken koffie en kwebbelden er nog vrolijk op los, totdat het tijd werd om te gaan. Gaby knuffelde de honden, de kat en de paarden uitgebreid en daarna bracht ik haar naar het vliegveld, waar we allebei een beetje moesten huilen bij het afscheid. Het weekend was alweer voorbij.

Nu ben ik dus weer alleen thuis en merk dat mijn ogen niet meer open blijven. Ik ben halfdood. Het weekend heeft veel van mij gevergd.

Vanavond ga ik op tijd naar bed en morgen probeer ik weer in het leven van alle dag te stappen. Uit ervaring weet ik dat het tot aan het volgende weekend kan duren voordat dat daadwerkelijk lukt.

DINSDAG 14 JUNI

Het is leeg in huis zonder Gaby. Zelfs de wandeling met de honden voelde vanmorgen leeg, zonder het gebabbel van Gaab. De honden leken ook wat tam. Ze hebben zich niet vies gemaakt, geen slachtafval gevonden en geen wild gejaagd.

Ik heb vandaag vooral doelloos rondgehangen.

Ik heb natuurlijk wel wat gewerkt, want mijn illustraties voor het kabouterboek moeten af, maar het schoot niet echt op. Met de paarden heb ik alleen geknuffeld.

Thea begint aan mij gewend te raken en trekt een miereneters-bekkie als ik haar kriebel. Fientje gaat altijd bijna op mijn schoot zitten als ze aandacht krijgt.

Hun aanhankelijkheid deed mij goed. Ik was – en ben nog steeds – moe en had wat hoofdpijn. Niet zo gek na een weekend laat naar bed en liters wijn, neem ik aan. Het zal wel weer een week duren voordat ik daarover heen ben.

Uitgerekend vandaag kwam Emil op bezoek. Nou ja, misschien niet echt op bezoek, maar hij bracht Thea en Fien thuis. Ze hadden namelijk na de knuffelsessie besloten dat het gras aan de andere kant definitief groener was en zich daarbij weer niets van de omheining aangetrokken.

Ik had mezelf na veel getreuzel eindelijk gedwongen om aan het werk te gaan toen Emil aanbelde en met de twee vluchtelingen voor mijn neus stond.

Beiden hadden slechts een simpel touw om de hals en Emil is nu voor mij een held en subliem paardenfluisteraar omdat hij erin slaagde beiden op die manier bij het grote groene gras weg te plukken en mee naar huis te nemen.

Ik vrees trouwens dat ik Emil niet op de allercharmantste manier begroette.

Ik zag hem met die twee dames voor de deur staan en verzuchtte: 'Oh nee, niet alweer."

Ik denk dat ik niet hoef uit te leggen dat de opmerking niet op Emil sloeg, maar hij vroeg het toch. "Kom ik te vaak?"

"Oh jee nee, natuurlijk niet. Ik bedoel de paarden. Ik bedoel dat ze weer door de draad zijn gegaan. En dat terwijl de vader van Sarah er alles aan heeft gedaan om het te voorkomen."

"Ik geloof niet dat ze door de draad zijn gegaan."

"Dat moet wel. Dat heeft Thea de vorige keer ook gedaan. Ze is niet zo subtiel, vrees ik." Ik giechelde van de zenuwen.

"Aan de draad was niets te zien," hield Emil vol. "Het poortje van de wei en de poort van de tuin stonden wel open."

In een flits herinnerde ik mij dat ik vanmorgen half liep te slapen toen ik de honden had uitgelaten en de paarden knuffelde. Het zou zomaar kunnen dat ik de poort niet goed had gesloten. Oeps. Ik voelde dat ik rood werd.

"Maar ik vind het toch charmant dat je bloost als ik met je praat," zei Emil.

Natuurlijk werd ik nog roder. Ik deed zo mijn best om het te voorkomen; ik dacht aan koelkasten, afwassen, ijsklontjes en zweetvoeten… Niets hielp. Ongetwijfeld had ik de kleur van een overrijpe tomaat.

"Ik schaam mij gewoon vanwege de paarden," mompelde ik.

"Sarah kan mij vast wel schieten. Heeft ze het gezien?"

"Je moet je niet te veel van haar aantrekken," meende Emil.

"Hoe bedoel je?" stotterde ik. Hoorde ik dat goed?

Hij glimlachte. "Zal ik eerst de paarden wegzetten? Dan mag je mij daarna een kop koffie aanbieden als dank."

Hij nodigde zichzelf uit voor koffie. Emil. De man waar Sarah het op had gemunt. Hij nodigde zichzelf uit om bij mij, Molly, koffie te drinken.

Yes.

"Natuurlijk," zei ik haastig. Ik maakte dat ik op mijn pantoffels buiten kwam, nam Fientje over en opende het poortje, dat weer dichtgewaaid was maar duidelijk niet in het slot zat.

Met Emil erbij lieten mijn paarden voorbeeldig gedrag zien en ik deed alsof ik daar niet eens van opkeek. Ik betwijfel of het hem overtuigde, maar hij kwam mee naar binnen en dronk koffie met mij.

"Ik moet nog wat boomstammen uit je wei halen," zei hij toen. "Max heeft ze afgelopen winter omgehakt, maar nog niet naar voren gesleept."

"Max?"

"De vader van Sarah."

"Oh natuurlijk. Ik wist niet hoe hij heette. Ik noem hem altijd de vader van Sarah." Ik giechelde. Waarom klink ik altijd een beetje dom als ik giechel?

"Hij heeft toch een tractor?" merkte ik haastig op. Alles was beter dan dom giechelen.

"Ja. Maar ze liggen helemaal achteraan en daar kun je met de tractor niet goed komen."

Ik wist wat hij bedoelde. Het middendeel van de wei bestond uit stukjes bos met smalle paadjes. Heel mooi, maar niet heel handig. Ik knikte dus.

"Is de ardenner ingespannen?" vroeg hij.

"Thea? Weet ik niet. De vorige eigenaar zei dat Thea alles kon, maar ik betwijfel of dat waar is."

"We zouden het kunnen uitproberen," meende Emil.

"Weet jij hoe dat moet?" vroeg ik verbaasd. Hij was tenslotte de zoon van dressuurmensen.

"Ik hielp vroeger mijn oom altijd graag in het bos. Hij werkte met ardenners en heeft mij het een en ander geleerd."

"Oh jee, dat zou geweldig zijn. Maar ik heb geen tuig."

"Volgens mij heeft mijn oom nog iets liggen. Zaterdag?"

Ik knikte haastig.

Emil stond op. "Goed dan. Zaterdag. Ik moet nu gaan. Ik ben in de stal van Sarah aan het werk." Zijn mond vertoonde een eigenaardig trekje, dat ik als irritatie vertaalde.

"Veel werk?" vroeg ik voorzichtig.

"Ja. Maar dat is niet erg. Het is alleen…" Hij twijfelde. "Sarah legt nogal veel beslag op mijn tijd."

"Ze is je vriendin," zei ik listig, lettend op zijn reactie.

"Ja, ze is mijn vriendin. Dat is ze al vanaf mijn kleutertijd. Maar soms heb ik het gevoel…"

"Ja?"

Hij glimlachte. "Ik kom zaterdag."
En weg was hij.

Ik weet zeker dat hij merkt dat Sarah iets van hem wil en dat hij er niet blij mee is. Hij is liever bij mij en Thea. En Fien.
Ik krijg het er nog warm van.

Terwijl mijn tenen nog steeds tintelden bij de gedachte aan Emil, zag ik dat Melvin een berichtje had gestuurd: "Vrijdag moet ik bij je in de buurt lesgeven. Als je wilt, kan ik dan ook naar jou toe rijden. Komt dat uit?"
Ik heb haastig teruggeschreven dat ik het leuk zou vinden.
Nu ik erover nadenk, voelt het bijna als overspel. Idioot natuurlijk.
Maar ik voel mij toch een beetje schuldig.

Van Ritch kreeg ik een sms'je. Of het leuk was geweest met Gaby?
Hoe wist hij nu dat Gaby was geweest? Verhip. Ik zag hem in de stad. Heel eventjes, voordat Gaby en ik een winkel binnen vluchtte. Ik dacht dat hij ons niet had gezien.
Toen ik nog met hem samen was, vond hij Gaby vermoeiend.
Nu vraagt hij of het leuk was.
"Heel leuk," schreef ik terug. "En doe de groeten aan Nova!" (Zijn Zweedse schone.)
Ik grijnsde toen ik dat schreef. Maar dat zag hij niet.

Vanavond maak ik het laatste restje wijn op en kruip vroeg in bed.

Misschien ben ik morgen fitter. Ik betwijfel het, maar hopen mag.

Ik ontvang Melvin liever niet met een dood hoofd.

WOENSDAG 15 JUNI

Een stormachtig dagje, maar ik heb wel met de paarden gewerkt. Ik kan het moeilijk achterwege laten nu Melvin vrijdag les komt geven en Emil zaterdag met het inspannen van
Thea komt helpen.

Ik heb met Fientje leeg gemend. In een ver verleden heb ik dat
vaker gedaan, maar het was alweer lang geleden. Misschien
krijg ik zo het gevoel weer een beetje terug. Ik zal het zaterdag
nodig hebben.

Fientje was overigens braaf.

Typje niet. Hij rende steeds opnieuw de wei in om Thea uit te
dagen tot een wild spelletje, wetend dat ik toch niet kon ingrijpen.

Moesje was gelukkig braaf, al heeft ze volgens mij heel wat
paardendrollen naar binnen gewerkt.

Ze reageerde beledigd toen ze mij daarna een hartelijke lik in
het gezicht wilde geven bij wijze van begroeting en ik mij
haastig met een vies gezicht terugtrok.

Ik heb ook met Thea gewerkt. Een leidoefening op de cirkel
volgens Melvins methode en een paar eenvoudige oefeningen zoals wijken voor druk en achterwaarts gaan. Allemaal
handig als ze straks echt aan het werk moet.

Van de wind trok ze zich deze keer gelukkig niet zoveel aan.
Misschien omdat ze aan mij gewend begint te raken en weet

dat ze mij niet de stuipen op het lijf mag jagen. Misschien ook omdat ik het – voor haar gevoel – veilige hoekje van de wei koos voor de oefeningen.

Maar ik was hoe dan ook erg trots op mijzelf en de paarden.

En ik was nog trotser toen ik er ook nog in slaagde hard te werken aan mijn illustraties, ondersteund door pure chocolade met nootjes en zeezout en drie mokken double choco-Mocha. De chocolade en choco-Mocha moesten mijn vermoeidheid bestrijden. Ik was tenslotte nog niet over het weekend met Gaby heen. Een mens moet nu eenmaal opofferingen doen, nietwaar?

Ik heb Gaby trouwens gebeld. Ik moest haar natuurlijk vertellen dat Melvin vrijdag komt en Emil zaterdag in mijn wei, met mijn paard, aan de slag gaat. Ze sprong bijna door de telefoon heen van enthousiasme.

Ze reageerde heel wat koeler toen ik vertelde dat ik zelfs Ritchy een berichtje had gestuurd.

"Laat je niet door hem inpalmen," waarschuwde ze. Ik verzekerde haar lachend dat daar geen kans op bestond, maar dacht er toch nog even over na toen we de verbinding hadden verbroken.

Onzin natuurlijk. Ritchy is einde verhaal.

Ik heb ook Silvy aan de telefoon gehad. Ze wil met mij naar de Ranch Horse Classics, over twee weken. Daar zeg ik natuurlijk geen nee tegen. Ik had toch al willen gaan, maar alleen is ook maar alleen.

Is daar trouwens geen liedje van: Alleen Is Maar Alleen?

Ik heb dus een goede dag gehad en zal mij morgen ook nog de naad uit het lijf werken om vrijdagmiddag vrij te kunnen nemen. En zaterdag natuurlijk.

Ik krijg de kriebels als ik eraan denk.

Ik heb zelfs al gefantaseerd over het maken van een keuze tussen de twee mannen.

Ik zou niet weten wie ik zou moeten kiezen. Ze zijn allebei leuk.

Misschien kan ik ze allebei houden.

VRIJDAG 17 JUNI

Alweer een dag overgeslagen. Sorry.

Maar eigenlijk valt er over gisteren niet zoveel te melden. Ik heb vooral hard gewerkt. Dat was ook wel nodig, want ik was de laatste weken niet zo goed opgeschoten.

Maar gisteren was ik dus ijverig. Ik was om zeven uur al met de honden in het bos. Ze hoefden zich dit keer niet uit te sloven om vies te worden, want de hemel besloot zijn sluizen te openen, waardoor we door en door nat werden en de paden in moddersleuven veranderden.

Natuurlijk was daarna het huis nat – zeker toen de honden zich binnen hadden uitgeschud – maar ik troostte mij met de gedachte dat het maar water was. En modder.

Maar strikt genomen is modder niets anders dan zand met water en dat is nog altijd beter dan de kleverige resten van dode beesten en ander eng gedoe.

Kimmy kwam overigens ook kletsnat naar huis.

Ze was zwaar beledigd en leek te denken dat het mijn schuld was, dat het opeens zo was gaan regenen. Ze koos dan ook mijn kleerkast uit om haar bed in te richten.

Ik heb er gisteren verder vooral veel choco-Mocha erdoor ge-draaid, weer een reep pure chocolade met noten en zeezout verorberd en veel digestivekoekjes met kaas gegeten. Ik weet het… geen gezonde kost, maar ik werk nu eenmaal het beste op zoetigheid en junkfood.

De paarden hadden een vrije dag en ik denk niet dat ze daar erg verdrietig om waren.

's Avonds heb ik mam en pap gebeld, want het was weer een tijdje geleden dat ik met hen had gepraat.

Ze willen in de zomer hierheen komen. Gezellig. Natuurlijk moet ik mam er dan weer van overtuigen dat ik niet met hen mee terug naar Nederland ga, maar ze bedoelt het goed.

Pap verheugt zich op het buiten rondscharrelen en het opknappen van allerlei klusjes. Ik moest maar een lijst maken, zei hij. Hij vindt het heerlijk om zich nuttig te maken.

Vanmorgen was het weer niet veel beter dan gisteren; storm en veel, heel veel, regen. Het lijkt wel herfst.

Ik probeer mij voor te houden dat het goed is voor de planten, maar het valt niet mee en ik moet bekennen dat ik onder het werken vanmorgen heel wat keren uit het raam keek, bang dat mijn clickerles niet doorging.

Maar Melvin stond stipt op tijd voor de deur en op dat moment hield het niet alleen op met regenen, maar brak zelfs de zon door. Nee, niet alleen bij mij.

We besloten maar meteen aan het werk te gaan met de paarden. Het was tenslotte moeilijk te voorspellen wat ze daarboven voor ons in petto hadden.

Het was een hele leuke training. We verzonnen allerlei enge dingen, die de paarden moesten aanraken, zoals een paraplu, een oude vuilnisbak die een raar geluid maakte in de wind, plastic, vlaggetjes en we hebben zelfs een straatje gemaakt van prikstokjes en vlaggetjes. We leken wel kinderen in ons enthousiasme.

Fientje vond het allemaal geweldig en was nergens bang voor. Thea had er wat meer moeite mee en Melvin leerde mij hoe ik daarmee om moest gaan. Terwijl ik Thea aan een lang touw vasthield, kwam hij bij mij staan, legde zijn handen op mijn handen – echt waar – om voor te doen hoe ik met het touw moest spelen, om Thea in toom te houden zonder kracht te gebruiken.

Sarah reed verderop ondanks het stormachtige weer met die grote zwarte van d'r en ik hoopte dat ze het allemaal zag.

Terwijl we Thea uiteindelijk de vuilnisbak konden laten aanraken, sloopte Fientje vakkundig de paraplu door er met de voeten op te gaan staan en met de tanden de stof aan flarden te trekken.

Melvin probeerde hem nog te redden, maar ik loog lachend dat het een oude paraplu was.

Toen we Thea de schamele resten van de paraplu met de uitstekende ijzertjes lieten aanraken, trok Fien de vlaggetjes van de prikpaaltjes uit de grond en sleepte ze door de wei. Het was duidelijk. Zij was niet bang. Maar wel beledigd dat ze daar geen snoepje voor kreeg.

We waren nog niet helemaal klaar, toen het opeens weer kei-hard begon te regenen. Snel ruimden we de rommel op en ren-den naar binnen, maar we konden niet voorkomen dat we kletskleddernat werden.

Nu zou dat sexy zijn als ik een fabelachtige mooie meid was met een prachtfiguur, gekleed in hotpants en wit shirt. Maar ik ben ik en ik was gekleed in een oude riblegging met dikke sokken, rubberen laarzen en een ruim – behaaglijk – sweat-shirt, lang genoeg om mijn achterkant te bedekken. Ik zag er dan ook meer uit als een verzopen kat dan als Miss Universe na een wetshirt contest.

Gelukkig zag Melvin er ook niet uit en konden we er hartelijk om lachen.

Omdat ik een ruime voorraad veel te grote shirts bezit, kon ik hem een droog shirt aanbieden. Een droge broek was een gro-ter probleem, want ik heb geen herenbroeken en een legging durfde ik niet aan te bieden. Droge sokken kon ik dan weer wel leveren.

We dronken warme chocolademelk en aten koekjes, terwijl we over paarden praatten. Melvin kan trouwens heerlijk ver-tellen over de ervaringen die hij heeft opgedaan bij allerlei moeilijke paardengevallen en ik hing aan zijn lippen.

Eigenlijk was het gewoon heel erg gezellig en toen ik hem vroeg wat hij voor de les kreeg, wilde hij daar niets van weten. Hij keek mij recht aan en lachte op die lieve manier van hem.

"Voor jou doe ik het gratis," zei hij.

Ik werd er gewoon verlegen van.

Vlak voordat hij ging – hij was al naar buiten gelopen – draaide hij zich naar mij om en vroeg of ik zin had om een keer spaghetti bij hem te komen eten.

"Ik maak de lekkerste spaghetti van heel Zweden," beweerde hij.

Natuurlijk wilde ik dat.

We hebben zondag afgesproken, maar ik ga niet alleen naar hem toe vanwege zijn spaghetti. Die kan ik tenslotte zelf ook maken.

Nee. Ik vind hem leuk. Hij vindt mij leuk. Denk ik. Hoewel…

Ik realiseer mij nu opeens dat ik nog steeds niet weet of hij vrijgezel is. Maar dat zal toch wel?

Morgen komt Emil. We gaan Thea inspannen. Althans… we gaan dat proberen.

Het voelt bijna verkeerd dat Emil morgen komt. Idioot natuurlijk, want ik heb niets met Melvin.

Goed. Ik heb een afspraak met Melvin. Maar misschien wil Melvin alleen maar vriendschap. Misschien is hij wel getrouwd of zo.

Misschien is Emil ook alleen uit op vriendschap.

Maar dat zou toch wel een beetje jammer zijn.

ZATERDAG 18 JUNI

Helaas nog geen echt zomers weer, maar toch alweer een beetje beter dan gisteren. Vanmorgen heb ik lekker wat in huis gerommeld en vanmiddag kwam Emil, zoals afgesproken.

Ik kan niet ontkennen dat ik het spannend vond en dat had er niet alleen mee te maken dat we Thea gingen testen. Ik vind Emil namelijk nog steeds leuk. Ik vind Melvin leuk, maar Emil dus ook.

Emil had het tuig van zijn oom meegenomen en het bleek Thea prima te passen.

Ze had geen moeite met het opleggen van het tuig en Emil zei dat het hem niet zou verbazen als ze al voor de wagen was beleerd. Hij ging heel rustig te werk en ik keek vooral bewonderend toe. Hier en daar probeerde ik hem te helpen, maar ik geloof niet dat hij daar enorm mee opschoot. Gelukkig was hij zo vriendelijk om dat niet te zeggen.

Toen Thea eenmaal netjes in het tuig was geperst, kon ik mij eindelijk nuttig maken. Ik ging naast Thea lopen, terwijl Emil achter haar de leidsels in de handen pakte om te testen hoe ze reageerde op iemand die achter haar liep en de hulpen gaf.

Ik bleek totaal overbodig. Nu voel ik mij niet zo graag overbodig, maar in dit geval was het wel een teken dat Thea precies wist wat er van haar werd verlangd en het ook nog deed ook.

Dat Emil goed wist wat hij deed hielp natuurlijk ook mee. Hij was tevreden over het resultaat.

Fientje hield het overigens allemaal goed in de gaten en hobbelde ijverig mee. Zelfs de honden achtervolgden ons, ondanks verschillende maningen.

Ik beweer altijd dat de honden goed luisteren en meestal is dat ook zo. Maar ze luisteren nooit als ik het wil laten zien.

Gelukkig leek Emil het nauwelijks op te merken – of maakte het hem niets uit – en toen hij stopte met het 'leeg' mennen, maakte hij Thea veel complimentjes en gaf ik haar een wortel. Uiteraard na een click, zoals ik dat van Melvin had geleerd.

"Waarom die click?" vroeg Emil wat verbaasd.

"Ik doe eigenlijk clickertraining met haar en dat betekent dat ze alleen iets krijgt na een click. Dat wil ik graag zo houden, ook als dit geen clickertraining was. Dan weet ze dat ze niets lekkers krijgt als ze niets hoort en wordt ze niet opdringerig."

"Hm. Nou ja, een opdringerige ardenner is waarschijnlijk niet handig. Hoe werkt dat met een clicker?" wilde hij weten. Wat aarzelend liet ik zien wat Fientje al had geleerd. Emil wist tenslotte echt wat hij deed met paarden en zijn ouders werkten ongetwijfeld helemaal niet met voer. Misschien vond hij het belachelijk.

Maar hij keek geïnteresseerd toe.

"Ik ben nog maar net bezig," verklaarde ik haastig. "Ik kan dus geen echte spannende dingen laten zien. Maar je kunt er alles mee bereiken."

"Tja, ik neem aan van wel. Al geloof ik niet dat ik op die manier zou kunnen werken. Maar het is best leuk om te zien en wie weet, bedenk ik mij ooit." Hij lachte weer naar mij.

Jeetje, ik smelt echt van die lach.

Ik geloof dat ik behoorlijk stotterde toen ik hem vroeg of hij een kop koffie wilde en misschien werd ik ook nog rood toen zijn lach wat breder werd en hij duidelijk maakte dat hij dat gezellig zou vinden.

"Is Sarah niet thuis?" vroeg ik, toen we eenmaal aan de koffie zaten.

Stomme zet natuurlijk. Sarah was wel de laatste over wie ik wilde praten.

Maar ik stel meestal stomme vragen in een dergelijke situatie.

"Sarah is met haar ouders naar een paard gaan kijken," zei hij.

"Wil ze nog een paard aanschaffen?" vroeg ik. Ik weet nog steeds niet waarom ik doorging over Sarah. Zenuwen?

"Misschien. Als het er eentje is met talent."

"Oh."

"Sarah vertelde dat je gisteren gezelschap had. Je vriend?"

"Melvin? Oh nee, niet mijn vriend. Nou ja, misschien wel 'een' vriend. Of trainer eigenlijk. Hij geeft clickerles."

"Oh. Sarah meende dat er meer was tussen jullie?" Hij keek mij onderzoekend aan en ik voelde mij niet op mijn gemak. Had Sarah dat expres geïnsinueerd?

"Nee, nee," zei ik veel te haastig. "Hij geeft gewoon les. Verder niets." Het leek mij geen goed moment om te vertellen dat ik morgenavond bij Melvin ging eten.

"Ah." Hij dronk zijn koffie en keek mij af en toe aan op die typische wijze van hem, waar ik erg van in de war raakte.

"We kunnen wel eens kijken of Thea een band kan slepen," zei Emil toen. "Woensdag misschien?"

"Woensdag is goed," zei ik meteen gretig.

"Goed. Dan doen we dat woensdag."

Er dreigde even een stilte te vallen en ik haat stiltes in een dergelijke situatie. Dan weet ik niet goed wat ik moet doen en ga piekeren over mijn houding en over mijn gezichtsuitdrukking. De conclusie pakt dan nooit in mijn voordeel uit.

"Vertel eens over je oom met de ardenner paarden," vroeg ik daarom.

Emil bleek een goede verteller en ik zag helemaal voor me hoe hij als jong knaapje met de grote goedmoedige ardenners in de weer was.

Veel te snel werd het tijd voor hem om naar huis te gaan en toen ik met hem naar de deur liep en hij naar buiten ging, draaide hij zich naar mij om en glimlachte weer zo lief naar mij.

Die lach… zucht.

"Je bent een leuke meid, Molly," zei hij. Daarna vertrok hij.

Ik ben nu nog steeds hoteldebotel.

Ik denk dat ik dadelijk Gaby maar bel. Gaby smult van mijn belevenissen en ik moet het gewoon aan iemand kwijt.

Goed, ik schrijf het nu op en vertel het dus in zekere zin aan jou; aan mijn dagboek. Maar jij – dagboek – zegt niets terug. Gaby wel.

MAANDAG 20 JUNI

Alweer een dag overgeslagen met mijn dagboek.

Ik was gisteren te laat thuis en ik had er niet zo'n zin in.

Misschien omdat ik een klein beetje in de war ben.

Omdat ik tegenwoordig tegenover niemand meer verant-woordelijkheid hoef af te leggen – dacht ik – werk ik op zon-dag nogal eens.

Eigenlijk schoot ik best goed op, totdat Ritchy opeens weer op de stoep stond. Nou ja, eigenlijk kwam hij gewoon naar binnen, alsof hij hier woonde.

"Ben je op zondag aan het werk?" Dat was het eerste wat hij zei.

"Ja, dus? Wat kom je doen, Ritch?"

"Sorry. Ik heb er natuurlijk niets mee te maken."

"Nee."

"Heb je koffie?"

"Ik ben aan het werk."

"Pauze is goed voor de creativiteit."

"Spreek je uit ervaring?"

"Haha."

Hij bleef mij aankijken. Zucht.

"Goed dan. Ik maak wel koffie. Maar je kunt niet te lang blij-ven. Ik moet straks weg."

"Waarheen?"

Ik trok mijn wenkbrauwen op.

"Niets mee te maken?"

"Ik heb een afspraak."

"Met wie?"

"Ken je niet."

"Een echte date?"

"Ja." Dat was niet waar, maar zijn gezicht was een leugentje waard.

"Ik heb ruzie met Nova."

"Daar kan ik niets aan doen."

"Weet je… ik vraag mij wel eens af waarom we uit elkaar zijn gegaan."

"Correctie; wé gingen niet uit elkaar. Jij begon iets met Nova en wees mij min of meer de deur."

"Zo was het niet helemaal."

"Ja, zo was het wel. Maar het doet er verder niet toe."

Ik maakte oploskoffie voor hem. Ik wist dat hij daar niet van hield, maar ik wilde hem niet te veel verwennen. Dan heb ik hem straks elke dag over de vloer.

Hij klaagde er niet eens over.

"Heb je nooit spijt?" vroeg hij.

"Dat jij mij de deur wees?"

"Moet je het nu zo zeggen?"

"Nee. Ik heb geen spijt."

Het was niet het antwoord dat hij wilde horen. Ik zag het aan zijn gezicht. Heerlijk.

"Wees maar blij dat je Nova hebt," zei ik. "Neem de moeite om er iets van te maken. Ook als het even wat minder goed gaat. Het heeft geen zin om achterom te kijken."

"Misschien niet. Maar soms…"

"Nee," onderbrak ik hem. Ik besefte dat ik het gezeur over spijt gewoon niet wilde horen. Ik had geen zin in verdere complicaties. "Kunnen we erover ophouden?"

Hij knikte.

We dronken koffie, waarbij hij mij gewoontjegetrouw nog regelmatig 'schat' noemde – maar hij liet het onderwerp 'relatie' in ieder geval rusten – en ik werkte hem meteen daarna de deur uit omdat ik nog moest werken.

Om halfzes had ik alles opgeruimd en reed ik zenuwachtig naar Bolmsö, met het adres van Melvin op het dashbord. Hij bleek aan een doodlopend weggetje te wonen, waar ik vier keer voorbij reed voordat ik het eindelijk vond.

Het huisje was klein en charmant en hij had drie poezen en twee paarden die er opvallend spichtig uitzagen in vergelijk met Thea. Maar eigenlijk zien alle paarden er spichtig uit in vergelijking met Thea.

Zijn spaghetti was inderdaad lekker, net als de kwark in potjes die hij speciaal voor deze gelegenheid had gekocht.

Misschien was de avond perfect verlopen, als ik niet na een tijdje gezellig natafelen met een glaasje wijn wat onbesuisd was opgestaan en daarmee het tafellaken, dat aan mijn vest bleef hangen, een stukje had meegesleurd waardoor de spaghetti over mij, Melvin en de vloer kiepte.

Ik schaamde mij dood en voelde me daarna niet meer echt op mijn gemak in mijn in tomatensaus gemarineerde kleding. Ondanks de lieve geruststellingen van Melvin, nadat hij van zijn lachbui was bekomen. Gebrek aan gevoel voor humor kan hem in ieder geval niet worden verweten.

Ik ging vroeger naar huis dan bedoeld en plukte zelfs op weg naar huis nog hier en daar een sliertje spaghetti uit mijn haar.

Eigenlijk was het etentje dus een fiasco, ware het niet dat Melvin mij op mijn wang kuste toen ik naar huis ging. Ik was op dat moment nog zo van streek door mijn bolognese-ongeluk, dat het niet tot mij doordrong. Maar op weg naar huis gebeurde dat des te meer.

Toen ik later thuis aan de wijn zat – ik probeerde mijn schaamte te verzuipen, maar die bleek te goed te kunnen zwemmen – en een sms'je naar Melvin stuurde waarbij ik nogmaals mijn excuses aanbood, stuurde hij een berichtje terug.

"Ik vond het heel gezellig. We doen het gewoon nog een keertje over, maar dan zonder tafellaken. Xxx"

Ik geloof dat ik het berichtje wel tien keer heb gelezen.

Ik heb mijn gsm 's avonds zelfs mee naar bed genomen, met het berichtje geopend zodat ik er steeds weer naar kon kijken. Misschien omdat ik een beetje dronken was.

Toen ik vanmorgen weer met de paarden aan het werk ging met de oefeningen die ik van Melvin had geleerd, stond opeens Sarah in de wei.

"Wat doe je?" vroeg ze.

"Ik train."

"Je voert."

"Ik doe clickertraining met de paarden."

"Clickertraining is iets voor honden. Dat werkt niet met paarden. Daar worden ze veel te opdringerig van."

"Nee hoor. Niet als je het goed doet."

Ik was op dat moment net met Thea aan het werk en ze had al drie passen op eigen initiatief achteruit gezet in de hoop iets te vangen. Maar mijn aandacht was niet bij haar. Ik stond met Sarah te praten. Onvergeeflijk, vond ze, en ze dook met haar neus richting voerzakje.

"Zie je wel," zei Sarah meteen. "Je moet zo'n paard laten weten wie de baas is."

Thea ontdekte ondertussen dat ze niets zelf uit het voerbuideltje kon pakken en besloot de nieuwkomer maar eens te fouileren.

Sarah gaf Thea meteen een flinke mep, waarop Thea verbijsterd achteruit sprong.

"Zie je wel," zei ze triomfantelijk. "Gewoon laten zien wie de baas is en dan kun je er alles mee. Dat getut is nergens goed voor."

"Ik sla mijn paarden niet," siste ik woedend. Ik hoopte een beetje dat Thea haar zou bijten, maar Thea vond het allemaal niet leuk meer en liep weg. Dat ik aan de andere kant van het touw stond, maakte haar niet zoveel uit. Ze had er de neus van vol.

"Laat je toe dat ze wegloopt?" vroeg Sarah. "Kom eens hier. Ik zal wel eens wijzen hoe je je moet opstellen." Ze wilde het touw overnemen, maar ik liet met een vlugge beweging Thea los, zodat ze haar eigen gang kon gaan. Dat deed ze toch al, maar nu deed ze het in ieder geval met mijn toestemming.

Het scheen Sarah te irriteren en dat was dan wel weer leuk.

"Krijg je les van die man, die laatst bij je in de wei stond?" veranderde ze toen van onderwerp.

"Van Melvin, ja."

"Ah Melvin. Type paardenfluisteraar of zoiets, denk ik." Ze schudde even haar hoofd. "Nou ja, hij past wel bij je."

"Ik krijg alleen les van hem."

Ze lachte. "Ja, ja."

"Echt." Ik weet niet waarom ik haar daarvan wilde overtuigen, maar misschien had het wel met Emil te maken.

"Ik ga morgen met Emil op stap," zei ze toen. Ze keek mij taxerend, een beetje triomferend, aan. "We gaan naar een dressuurstal om een paard te bekijken. Emil en ik hebben altijd de grootste lol samen."

Wat moest ik daar nu op antwoorden?

"Ik begreep dat Emil woensdag met jou Thea voor een sleep wilde zetten?"

"Eh, ja."

"Dat gaat helaas niet lukken. Emil en ik blijven tot woensdagavond weg. Minimaal. We nemen een hotelletje." Ze grinnikte. "Unieke kans," fluisterde ze.

Ik weet niet of mijn gezicht betrok of dat ze mij allang door had. Maar ze keek mij onderzoekend aan. "Je bent toch niet verliefd op hem?" vroeg ze.

"Nee." Ik schudde zo heftig mijn hoofd dat het bijna van mijn nek af tuimelde.

"Oh gelukkig. Nou ja, hij is je type ook niet. Niet het dromerige *natural horsemanship*-type. Ik bedoel er niets mee, maar ja…"

Natuurlijk bedoelde ze er iets mee.

"Nou dag." Ze draaide zich op haar hakken om en vertrok.

Een halfuur later zag ik haar in de bak rijden. Ik hoopte dat ze van haar paard zou vallen, liefst in een modderpoel.

Maar dat gebeurde helaas niet.

Nu is het alweer avond. De hemel kleurt grijs en er staat een harde wind.

Ik denk dat ik nog maar eens een wijntje pak en Murder She Wrote ga kijken.

Jessica is een leuk mens.

DINSDAG 21 JUNI

Een eenzame, grauwe dag.

Ik stond bij de paarden te klungelen – ik wilde iets doen, maar wist niet wat, dus deed ik niets zinnigs – toen ik Sarah en Emil in de auto zag stappen.

Sarah had grote plannen, wist ik. En dat had niet alleen met de trailer te maken, die achter haar auto hing.

Ik wilde eigenlijk in de grond wegkruipen, maar Sarah zwaaide naar me en Emil toeterde. Alsof er niets aan de hand was.

Toegegeven… strikt genomen was er niets aan de hand. Emil heeft mij geholpen met de stal, de omheining en Thea en dat is aardig van hem.

Dat hij mij een leuke meid vindt, is nog aardiger. Verwacht ik meer van hem dan dat hij mij alleen maar een leuke meid vindt?

Eén ding is zeker: Sarah verwacht in ieder geval meer van hem.

In een opwelling besloot ik Melvin te bellen. Hij had tenslotte een leuk berichtje gestuurd met kruisjes.

Staan kruisjes eigenlijk niet voor kusjes? En gaat het dan om kusjes op de wang of bedoelde Melvin meer dan dat?

Gaby zet ook altijd kruisjes in haar berichtjes. Gaby bedoelt niet meer dan kusjes op de wang, maar misschien is het voor mannen anders.

Ik belde dus Melvin en terwijl ik zenuwachtig op verschillende manieren het aanbieden van excuses in mijn hoofd oefende, werd er opgenomen en hoorde ik een vrouwenstem. "Met Angie."

"Angie?"

"Sorry. Het huis van Dele. Melvin Dele." Ze giechelde.

"Sorry, verkeerd nummer." Ik hing haastig op. Wie was in hemelsnaam Angie? Ze was in ieder geval geen Zweedse. Was Angie een andere leerling van hem?

Was Melvin misschien iets té behulpzaam tegenover vrouwen, die met paardenproblemen worstelden? Maakte hij gebruik van hun zwakheden?

Ik pakte opnieuw de telefoon en belde Silvy. "Ben je thuis?"

"Ik denk het wel, aangezien ik de telefoon opneem," antwoordde Silvy.

"Is het goed als ik even op bezoek kom?"

"Meid, ik zet de koffie vast aan."

"Tot zo."

Dat is nu het leuke van Silvy. Ik hoef nooit iets uit te leggen. Silvy voelt wanneer ik haar nodig heb. Misschien is het ook zo dat ik haar gewoon erg vaak nodig heb.

Ik ging dus naar Silvy, liet mij verwennen met koffie en veel koekjes en deed mijn beklag.

"Ik heb je over Emil verteld?"

"De knapperd die je hielp met de omheining en de stal?"

"En Thea."

"Thea?"

"Hij heeft haar zaterdag het tuig opgelegd en 'leeg' gemend en wilde haar woensdag een band laten slepen."

"Aardig van hem. Hij ziet dus iets in je."

"Dat dacht ik ook. Maar misschien doet hij dat vooral uit eigen belang, zodat Thea hem kan helpen het hout uit de wei naar voren te slepen. Hij is daarnet voor twee dagen met Sarah vertrokken. Een of ander duur huppelpaard bekijken."

"Oei."

"Moet je mij niet geruststellen met de woorden dat het niets wil zeggen? Tenslotte zijn hij en Sarah al vanaf de kindertijd bevriend en hebben zijn ouders een dressuurstal. Dan is het niet eens zo vreemd dat hij met Sarah dressuurpaarden gaat bekijken."

"Eh nee, dat niet."

"Jij vindt van wel?"

"Ik zou Sarah voor geen cent vertrouwen."

Ik zuchtte maar eens diep. "Ik ook niet." Ik propte nog maar een koekje naar binnen. "Sarah kwam mij gisteren vertellen dat ze met Emil naar dat paard ging kijken. Ze zouden tot morgen wegblijven, zei ze. Daarom kon Emil mij morgen niet met Thea helpen. Dat had hij namelijk beloofd."

"Sárah kwam dat zeggen?" Silvy trok haar wenkbrauwen op. Ik knikte.

"Dat zegt genoeg," vond Silvy. "Ze wil hem inpikken en ziet jou als concurrent."

"Hoe kan iemand als Sarah mij nu als concurrent zien?"

"Onderschat jezelf niet. Je bent een leuke meid. Blijkbaar vind Emil dat ook en heeft ze dat gemerkt. Dus gooit ze nu alles in de strijd om hem voor zich te winnen."

"Arme Emil."

"Hoezo? Hij had het kunnen weigeren. Trouwens… als hij een beetje vent was, had hij zelf de afspraak afgezegd."

"Je denkt dat het geen echte vent is?"

"Ik weet niet wat ik ervan moet denken. Hij weet vast dat Sarah meer van hem wil dan alleen hulp met dat paard."

Ik haalde maar eens mijn schouders op.

"Vergeet hem," vond Silvy. "Je noemde laatst de clickerleraar; de leuke Belg."

"Ik heb bij hem gegeten zondag."

"Echt? Super."

"Eh ja."

"Waarom kijk je zo triest?"

"Ik blunderde. Ik gooide de spaghetti door de lucht en liet hem neerkomen op hem en mij."

Silvy grinnikte. "Een beetje man kan daar best tegen."

"Dat dacht ik ook. Hij stuurde een leuk berichtje en daarom belde ik hem daarstraks op."

"Oei."

"Hoezo oei? Had ik niet moeten bellen?"

"Oei, omdat ik aan je zie dat het niet naar wens ging."

"Ene Angie pakte de telefoon aan."

"Wie is Angie?"

"Weet ik niet. Ik neem aan dat het een andere leerling van hem is. Joost mag weten hoeveel vrouwelijke leerlingen hij heeft, met wie hij zo charmant omgaat."

"Misschien is Angie zijn moeder."

"Ze klonk niet als een moeder."

"Of zijn zus."

"Nee. Angie is geen zus," vond ik. Ik wist het natuurlijk niet, maar mijn gevoel beweerde dat Angie definitief niet zijn zus was. Ik troostte me met nog maar een koekje.

"Heb je al veulens?" vroeg ik toen.

"Drie. Zullen we zo meteen gaan kijken?"

"Ja. Maar je moet mij slaan als ik er eentje wil kopen."

"Waarom? Ik zal te zijner tijd toch een goed thuis voor hen moeten hebben." Ze grijnsde.

"Je bent slecht."

"Nee, slim. Ga je Melvin nog vragen wie Angie is?"

"Nee. Strikt genomen heb ik daar niets mee te maken."

"Niet?"

"Ik heb niets met Melvin."

"Melvin is een romance in spé. Als Angie tenminste inderdaad zijn moeder of zus is. Zo niet, dan kun je beter een schriftelijke cursus clickeren volgen."

We liepen naar buiten en ze liet mij de drie leukste veulens zien die ik ooit heb gezien. Ik had ze alledrie wel willen kopen, maar nog drie Fientjes is misschien toch te veel van het goede.

Nu zit ik weer in mijn eigen woonkamer en heb best wel medelijden met mezelf. Zo heb ik twee potentiële vriendjes, en
zo heb ik niets. Ik denk aan Sarah en Emil. Zouden ze al in een
hotelkamer zitten? Wat zouden ze aan het doen zijn?
Bah. Ik wil het niet eens weten.
Ik ga dadelijk lekker televisie kijken. Maar geen romantisch
drama of zo. Dat maak ik zelf al mee.

WOENSDAG 22 JUNI

Afgelopen nacht was het de kortste nacht van het jaar. Dat wordt komend weekend gevierd: Midsommar.

Silvy heeft mij vandaag gebeld en gevraagd of ik op vrijdag-avond, *midsommarafton* – de avond voor midzomer – bij hen kom eten. Natuurlijk wil ik dat wel. Midsommarafton vier je niet in je eentje. Niet als het anders kan. Silvy deelt die me-ning en heeft meer mensen uitgenodigd en zich daarmee een heleboel werk op de hals gehaald.

Daarom heb ik beloofd voor het dessert te zorgen.

Ik heb nog geen idee wat ik ga maken – misschien iets met aardbeien want die horen bij midsommar – dus hoog tijd om wat recepten door te bladeren. Misschien doe ik dat straks wel. Er komt toch niet zo veel op de televisie.

Tijdens mijn ochtendwandeling met Typje en Moes heb ik na-gedacht over het uiterlijk van de resterende kabouters, die nog vorm moeten krijgen in het boek. Ik heb ergens gelezen dat je creativiteit tijdens lichaamsbeweging op zijn best is, dus daar maak ik dan maar gebruik van. En of het toevallig is of niet... dat weet ik niet. Maar ik kreeg werkelijk een paar schitterende ideeën, die ik al helemaal voor mij zag.

Creativiteit en oplettendheid gaan echter niet samen, merkte ik. Moesje en Typje hadden wat stukken huid in het bos ge-vonden, die de buurman aan de andere kant dan Sarah daar waarschijnlijk had neergegooid. De man had onlangs nog twee varkens in een weitje staan en die waren nu plots verdwenen.

Ik zag het pas toen Typje ermee op de bank in de woonkamer lag en Moesje haar buit op mijn fauteuil verslond. Alles zat onder de stinkende vetvlekken.

Ik heb geprobeerd om de schade met sop en schrobbertje en liters luchtverfrisser ongedaan te maken, maar nu ruikt de bank naar een dood beest met parfum op.

Ik hoop dat de stank en de contouren van de vlekken uiteindelijk op de een of andere magische manier in het niets oplossen, maar wensen worden bij mij maar zelden verhoord.

Toen ik ging werken heb ik maar een heleboel geurkaarsjes aangestoken en op de werktafel geplaatst. Zo heb ik, ondanks alles, toch nog behoorlijk wat kabouters een eigen uniek gezicht gegeven.

Na het werk heb ik nog met de paarden gewerkt. Het begin liep niet zo lekker en ik dreigde mezelf weer een behoorlijke miezer te vinden, totdat ik mezelf oppakte en gewoon opnieuw begon met eenvoudige oefeningen. De paarden vonden het opeens weer leuk. Fientje vermoordde geamuseerd de targetstick en verdiende de nodige snoepjes. Thea bleef beschaafd en keek mij regelmatig aan met een blik alsof ze wilde vragen: Doe ik het zo goed?

"En of!" riep ik uit. "Je doet het geweldig."

Ik heb ze daarna nog heel erg lang geknuffeld en het voelde

weer eventjes als vroeger, toen ik nog een klein meisje was en geen andere wensen had dan paardjes te aaien, een paardenneus tegen mijn gezicht te voelen en de warmte van hun lichaam gewaar te worden. Heerlijk.

Ik heb daarna nog even bij hen in het zonnetje gezeten, dat zich eindelijk weer eens een beetje liet zien.

Toen ik binnenkwam, ging de telefoon. Ritchy.

"Heb je zin om met midsommarafton naar ons toe te komen?" vroeg hij. "Dan ben je niet helemaal alleen."

Was hij gek geworden?

Ik had hem dat kunnen vragen, maar bleef toch maar netjes.

"Nee, dank je. Ik ga al naar Silvy."

"Oh. Maar daar komen vast een heleboel mensen die je niet kent."

"Vast wel. Maar die leer ik vanzelf kennen."

"Je houdt niet van drukte."

"Nee. Maar met midsommar is dat wat anders."

"Komt die clickervent ook?"

"Nee."

"Oh."

"Ritchy, ik moet gaan. Prettig midsommarafton."

Ik verbrak haastig de verbinding. Natuurlijk hoefde ik niet te gaan. Ik zou niet weten waarheen. Ik had alleen geen zin om uitleg te geven over de clickervent of de vriend van mijn buurmeisje.

Ik begrijp niet dat ik zo snel weer verliefd kon worden. Op

twee verschillende mannen nog wel. Misschien was het gewoon een reactie op de scheiding tussen Ritchy en mij. Een
tijdelijke verstandsverbijstering of iets dergelijks.

Ik ben vastbesloten om de heren uit mijn hoofd te zetten.
Ik red mij prima alleen.
En nu is het tijd voor mijn appeltje en mijn thee met sopbis-
cuitjes.
Met de receptenboeken op mijn schoot.
Eens kijken of ik een recept voor een heerlijke midsommar-
taart met aardbeien kan vinden.

DONDERDAG 23 JUNI

Raar weer vandaag. Veel wind en af en toe zon, afgewisseld met een fikse hoosbui.

Dat laatste gebeurde natuurlijk ook tijdens mijn wandeling vanmorgen. Ik zag het al aankomen en had mijn spiksplinternieuwe cape van doorzichtig boterhammenzakjesplastic uit de verpakking getrokken, om erachter te komen dat de onderkant oprolde tot boven de knieen, ongeacht hoe vaak ik hem omlaag trok.

Natte broek dus. En natte voeten. En oh ja, een natte nek.

Een capuchon vind ik hoogst irritant omdat hij het geruis van de bossen in het geknisper van plastic verandert, als hij tenminste niet afwaait. Wat ook nogal eens gebeurt. Dus draag ik met nat weer een petje. Ik beeld mij in dat het stoer oogt.

Vanmorgen droeg ik dus ook mijn petje. Mijn capuchon hing er werkeloos bij en liep vol regenwater. Dat merkte ik pas toen ik hem rechttrok en de volwassen waterpoel in die capuchon een wilde rivier vormde, die via mijn nek naar mijn rug stroomde. Koud!

De bospaden waren min of meer ondergelopen, dus moest ik de route wat inkorten. De honden vonden het niet erg. Typje is eigenlijk altijd vrolijk, ongeacht wat ik doe, en Moesje vond een nat velletje te koud. Ze houdt niet van regen.

Tijdens de clickertraining met de paarden – ja, ja, ik heb wel getraind – werd ik nog een keer nat.

We oefenden hoofd laag en achterwaarts gaan, maar Fientje liet zien dat ze het targetten niet was vergeten door mijn stick met string te gappen en het handvat te slopen. Ze had dolle pret.

Thea ook. Want toen ik mijn stick van een wisse dood probeerde te redden, viel mijn buideltje met paardensnoepjes op de grond en voor één keer was Thea snel van begrip. Ze at haastig alles op en slokte zelfs bijna het buideltje mee naar binnen.

Daarmee was de training dus afgelopen.

Natuurlijk heb ik ze evengoed een poos geknuffeld in de wind en de regen. Ik was tenslotte toch al nat.

Maar de zon scheen vandaag ook. Iedere keer als ik binnen zat te werken, schoven de wolken aan de kant en verwarmde een zomers zonnetje de aardbol.

De neiging om op zulke momenten hard naar buiten te rennen, weerstond ik. De zon zou waarchijnlijk verdwijnen zodra ik buiten kwam, en ik had werk te doen. Tenslotte is het morgen midsommarafton.

Morgen moet ik dus desserts maken.

Ik heb geen idee wat voor desserts ik ga maken en heb al heel wat sites en kookboeken doorgespit. Ik heb daarbij aardig wat taarten en puddinkjes met aardbeien bestudeerd, maar de meeste recepten zijn ingewikkeld. Iets waar ik normaal gesproken mijn hand niet voor omdraai, maar waar ik niet aan durf te beginnen als mijn ego op het spel staat. Want uitgere-kend als ik voor veel mensen een geweldige traktatie in elkaar wil knutselen, verandert het meestal in een zwartgeblakend ondefinieerbaar en steenhard monster of blijkt de inhoud vloeibaar zodra iemand het mes erin steekt.

Ik weet het dus nog steeds niet.

Misschien krijg ik in mijn droom een geniaal idee.

Anders kan ik misschien potjes kwark kopen, die in een mooie schaal doen en met vruchtjes garneren? Uiteraard zal ik dan niemand het recept verklappen.

ZATERDAG 25 JUNI

Midsommardagen en geheel volgens traditie flutweer. Maar dat maakt niet uit. Ik heb van vandaag een werkdag gemaakt. Dan hoef ik niet zoveel na te denken.

Over Emil en Melvin tenminste niet.

Ik heb een paar dagen geleden Emil en Melvin weliswaar uit mijn leven gewist, maar kreeg wel van allebei gisteren een berichtje.

"*Trevligt midsommar*," schreef Emil. "Sorry dat ik je woensdag niet met Thea kon helpen. Zullen we dit weekend iets met haar gaan doen?"

Alsof er niets is gebeurd!

Ik heb hem donderdag niet thuis zien komen met Sarah, maar zag vandaag wel een nieuw paard in de wei staan. Misschien beviel hun nacht in het hotel wel zo goed, dat ze er twee nachten van hebben gemaakt en pas vrijdag naar huis zijn gekomen. De viespeuken.

Goed… ik weet het. Ik heb niets met Emil en het is Sarahs vriend, maar hij zou niet dé vriend van haar zijn. Dat zou hij tenminste niet móéten zijn.

Ik zie Sarahs voldane kop al helemaal voor me, als ze verteld hoe heerlijk haar daagjes met Emil waren. Oh, ik haat haar absoluut.

Ik heb Emil ook '*trevligt midsommar*' gewenst en geschreven dat ik dit weekend niet kan.

Het lijkt me beter om even wat afstand te nemen. Tenzij Sarah straks naar mij toe komt en klaagt dat Emil haar spelletje niet meespeelde. Maar tot nu toe is dat nog niet gebeurd.

"*Trevligt midsommar*. Ik had gehoopt dat je zou bellen. Misschien dit weekend?" schreef Melvin. Wat hebben die mannen toch met dit weekend?

Ik heb hem netjes een *trevligt midsommar* gewenst en geen antwoord gegeven op zijn vraag. Ik bel hem natuurlijk niet. Ik ben niet wanhopig. En als ik dat al ben, wil ik het niet laten merken.

Ik heb gisteren de telefoon thuis gelaten toen ik naar Silvy ging. Geen complicaties. Lekker eten, wijntjes drinken en in paniek raken als vreemden met mij willen socialiseren.

Achteraf viel het trouwens mee, want iedereen was aardig en zeer sociaal. Vooral toen ze al wat alcohol achter de kiezen hadden. Iets wat overigens resulteerde in een paar wilde indianendansen gevolgd door een denderende polonaise door het hele huis, met Silvy en Kalle voorop.

Ik heb mij verstopt achter de bank, want ik hou niet zo van polonaise. Toen de feestvierders ook de ondergedoken slachtoffers in hun dans probeerden te betrekken, werd het voor mij tijd om naar huis te gaan.

De toetjes waren overigens een succes; roompudding met fruit, roomrijst met mandarijntjes en frozen cheesecake met kersenjam.

Het recept van de frozen cheesecake had ik overigens aangepast, want ik vond dat er erg weinig suiker bij de ingredienten stond vermeld. Ik heb vaker frozen cheesecake gemaakt – lekker en gemakkelijk, omdat het niet in de oven hoeft, maar alleen zijn tijd in de diepvries nodig heeft – en wist dat er gewoonlijk drie keer zoveel suiker in zat. Daar waar normaal gesproken 200 gr philadelphia met 200 gr suiker en 3 eidooiers door 200 ml geklopte slagroom en 3 stijfgeklopte eiwitten worden gespateld, werd nu 400 gr philadelphia gecombineerd met 200 ml room en slechts 100 gr suiker. En geen eieren. Ik heb er dus een eigen versie van gemaakt met eieren en een verdubbeling van de hoeveelheid suiker en room.

Als bodem heb ik echter de geadviseerde combinatie van 12 verkruimelde digestive koekjes gemengd met 100 gr roomboter gebruikt.

Absoluut afschuwelijk slecht voor de lijn, net als roompudding en roomrijst, maar iedereen heeft ervan genoten.

Ik ook. Desserts zijn toch al favoriet bij mij.

Vanmorgen sliep ik zowaar uit tot acht uur – tot ergernis van de honden en de poes – en hield ik mijn wandeling kort. Ook eenzame illustrators hebben recht op een dagje rust.

Hoewel die rust ook betrekkelijk was. Ik heb namelijk wel gewerkt en de badkamer schoongemaakt.

Ik haat badkamers schoonmaken.

Maar ja… ik haat ook badkamers met algen en enge beesten, dus tja…

Mijn mobiele telefoon is leeg en dat hou ik maar zo. Geen complicaties en moeilijke telefoontjes vandaag. Zo meteen lekker in een soepbroek op de bank met sopkoekjes en thee. Misschien kan ik Miss Marple kijken. Ik heb nog wat dvd's liggen en het is lang geleden dat ik die heb gezien.

ZONDAG 26 JUNI

Eindelijk weer zomer. Blauwe lucht met slechts hier en daar een wolkje.

Zon… waar was je zo lang?

Om zeven uur stond ik al naast mijn bed, vastbesloten niets van deze dag te missen. Om acht uur belde Silvy, die ook nooit iets wil missen.

"Ga je mee naar Moheda? Oude rommel bekijken en gammele kastjes kopen?" vroeg ze.

"Natuurlijk ga ik mee. Ik ben gek op oude rommel."

"Elf uur? Ik haal je op."

"Halfelf. Dan drinken we eerst koffie. Ik heb lekkere *kladka-ka*-koekjes."

"Ah, die van de reclame. Die wil ik niet missen. Zie je."

Opeens was mijn dag volgeboekt en ik had er zin in.

Maar eerst moest ik Fientje uit een verboden stuk wei van de Paddock Paradise halen.

Had ik al verteld dat ik haar daar al vier keer eerder moest weghalen? Gelukkig niet meer midden in de nacht, maar toch…

Ze stond er vanmorgen dus alweer en had duidelijk geen zin om eruit te komen. Maar ik was onverbiddellijk. Ik bracht haar naar Thea, die met een zachte hinnik liet weten dat ze haar kleine vriendinnetje had gemist, en trok voor de zoveelste keer de draad strak, die op onverklaarbare wijze steeds weer aan spanning verloor.

De waarheid achter de slappe draad en Fientje op het groene gras, openbaarde zich meteen daarna. Ik stond met alle macht de draad recht te trekken, toen Fientje mij voorbij wandelde, een aanloop nam en in volle vaart onder de draad door dook. Verbijsterd liet ik alles uit handen vallen en keek naar mijn lieve kleine pony, die meteen weer naar het paradijselijke plekje liep, waar ik haar zojuist kwaadaardig had weggesleurd.

Thea kwam inmiddels ook aanwandelen, keek naar haar minivriendin en besloot dat alleen ook maar alleen was. Ze liep simpelweg naar Fientje toe, zonder zich ook maar in het minst door de draad te laten storen.

Ik stond erbij en keek ernaar, met een los stuk draad in handen.

Ik heb de hele boel maar weer afgebroken. Weg Paddock Paradise. Het had zo mooi kunnen zijn.

Toen ik daarmee klaar was, stond Silvy met een droge keel en een sterke behoefte aan cafeïne op de stoep.

"Laat mij eerst je Paddock Paradise zien," zei ze, voordat ik koffie kon zetten.

"Paddock Paradise is niet meer."

"Hoe bedoel je?"

"Ik heb het afgebroken."

"Waarom? Het was zo'n goed idee."

"Dat dacht ik ook. Maar Fientje kroop onder de draad door en wist nooit hoe ze terug moest en Thea besloot vandaag dat ze met Fientje mee wilde gaan en vond de draad geen reden om dat niet te doen."

"Ah. Een shetlander en reuze shetlander. Tja, dat kan lastig zijn." Ze probeerde ernstig te blijven, maar ik zag haar toch wel grinniken.

"Koffie?"

"Ja."

"Alleen als je niet lacht."

"Ik lach niet." En meteen proestte ze het uit. "Sorry," gierde ze. "Ik zie het gewoon voor me."

"Ik zag het ook voor me," mompelde ik een beetje sneu. Maar Silvy's lach stak me toch een beetje aan en toen we vijf minuutjes later met koffie en kladkaka- koekjes buiten in het zonnetje zaten terwijl twee paarden ons vanuit de wei onschuldig aankeken, zag ik de humor er wel van in.

"Gaat Kalle niet mee naar Moheda?" vroeg ik toen.

"Nee. Kalle zei dat hij een heleboel moest doen, maar eigenlijk wil hij gewoon lekker rustig in de hangmat in de tuin liggen, zonder mijn gekwebbel aan zijn hoofd."

"Je bent toch meestal met de pony's bezig."

"Ja. Maar ik wil hem altijd vertellen wat ik allemaal heb gedaan en ga doen en vraag ook nog vaak of hij mij wil helpen."

"Misschien helpt hij niet graag."

"Als ik het niet vraag, is hij beledigd. Mannen…" Ze rolde met haar ogen en lachte. "Ga je nog iets kopen?"

"Ik wil nog een aardappelmandje, een dienblad en een tafeltje om de computer op te zetten hebben."

"Ik heb alleen de auto bij mij. Geen trailer," lachte Silvy.

"Maakt niet uit. Ik vind meestal niet wat ik zoek. Ga jij iets kopen?"

"Alles wat ik leuk vind." Ze lachte weer. Silvy lacht altijd veel als de zon schijnt.

Voordat we vertrokken twijfelde ik even. Mijn mobiele telefoontje lag nog in de kast. Hij stond nog steeds niet aan. Ik overwoog hem aan te zetten en mee te nemen; gewoon voor de zekerheid. Maar ik deed het niet.

Geen berichtjes van Emil en Melvin en al helemaal niet van Ritchy. Dan hoefde ik ook nergens over na te denken.

De weg naar Moheda was heerlijk. Een groot gedeelte van die weg slingerde door de bekende donkere Smålande-bossen die voor een groot deel uit reusachtige naaldbomen bestaan en trakteerde hier en daar, zomaar opeens, op mooie uitzichten op helder spiegelende meren en frisgroene dalen met kleurige huisjes en krabbelende riviertjes, omringd door glooiende bebosde heuvels. Het zonnetje zorgde voor een gouden randje.

We waren niet de enigen die op het idee waren gekomen om oude spulletjes bij elkaar te snaaien. De parkeerplaats stond vijf minuten voor openingstijd al propvol en bij de twee ingangen hadden zich lange rijen gevormd.

Silvy verveelde zich niet in de rij. Ze kent altijd overal iedereen, en de mensen die ze nog niet kent, leert ze ter plekke kennen. Ze had het dus druk met kletsen en ik deed alsof ik een beetje meedeed, totdat de ingangen werden vrijgegeven en iedereen naar binnen dromde.

We keken eerst buiten rond, beoordeelden stoeltjes, bekeken bakjes en dienblaadjes, gingen op stoelen zitten en aten een broodje worst. Want ook dat kan daar.

Binnen dwaalden we lange tijd rond en tegen de tijd dat we de kassa bereikten, had ik een tafeltje gekocht voor de computer en Silvy een hele set sierlijke glaasjes, een mooi mandje van gevlochten ijzer met kippetjes erop en een mooie kom uit grootmoeders tijd op de kop getikt. Een succesvolle jacht.

Toen we eenmaal de spulletjes in de auto hadden liggen, gingen we terug om heerlijk gebak met appeltjes, kaneel en hazelnootjes te eten, geserveerd met vanilleroom en koffie. Slecht, ik weet het. Maar, o zo lekker.

Nu ben ik dus weer thuis en schrijf aan mijn nieuwe tafeltje in jou, mijn dagboek. Buiten schijnt nog steeds een zonnetje en het zou de rest van de week prachtig weer blijven.

Misschien kijk ik vanavond weer een Agatha Christie-film. Met de honden – toch een beetje beledigd omdat ik hen alleen liet – aan mijn voeten. De perfecte afsluiting van een perfecte dag.

MAANDAG 27 JUNI

Weer een heerlijke zomerse dag. Ik kon vanmorgen om zeven uur in mijn T-shirt de honden uitlaten, zonder te bevriezen. Bijna ideaal, ware het niet dat ik nu onder de jeukende muggebulten zit.

Ieder voordeel heb zijn nadeel... Geen idee waar dat wijze gezegde vandaan komt, maar er zit iets in. Was het trouwens niet Cruijff?

Na mijn wandeling in gezelschap van twee honden en een miljoen muggen, heb ik een kommetje cornflakes naar binnen gewerkt en ben ik met de paarden gaan trainen.

Eigenlijk wilde ik de paarden een voor een trainen, maar aangezien ze in de stal stonden te schuilen voor zon en ongedierte en de plaats daar beperkt is, heb ik met hen allebei geclickert.

Ik heb de matoefening ingevoerd. Daarbij leert het paard met de voorvoeten op een matje staan, wat erg handig is als je hem even wilt parkeren. Voor de supermarkt bijvoorbeeld – al zal het wat jaartjes kosten voordat ik ze zover heb – of zolang ik een oefeningetje met het andere paard doe.

Maar voor nu was het voldoende als ze even op het matje wilden staan.

Fientje verdiende mijn volle bewondering en een paar stukjes appel, toen ze rond ging scharrelen om daarna weer uit zichzelf op het matje te gaan staan, terwijl ik met Thea werkte.

De andere oefeningetjes die ik deed waren eenvoudig, zoals achterwaarts gaan en eerste stapje wijken van de voorhand (schouder dus stapje van mij af) en achterhand (bips stapje van mij af) omdat de nadruk voor de training van de dag op 'staan op de mat' lag.

Met clickertraining leer je de kleine mooie momenten te herkennen en waarderen. Alleen al daarom is het zo leuk.

Zou het niet zo met alles in het leven moeten zijn?

Een mooi citaat van Norman Lear: Succes is hoe je je minuten verzamelt. Je besteedt miljoenen minuten om één overwinning te behalen, één moment, en vervolgens besteed je misschien duizend minuten aan ervan genieten. Als je tijdens die miljoenen minuten ongelukkig was, wat is dan de waarde van die duizend minuten triomf? Het is niet genoeg… Het leven bestaat uit kleine pleziertjes: goed oogcontact met je partner bij het ontbijt; een vriend even aanraken. Geluk bestaat uit die kleine successen. Grote successen komen te sporadisch. Als je deze miljarden kleine successen niet hebt, betekenen de grote niets.

Ik vind het een mooi citaat. Misschien schrijf ik ze in sierlijke letters boven mijn bed. Dan kan ik dat nooit meer vergeten. Overigens zijn er natuurlijk ook wat mindere momenten in het leven. Bijvoorbeeld als je iemand als Sarah ontmoet.

Ik was net klaar met de paarden, toen zij naar me toe kwam.

Ze zag mij en ik zag haar. Ik zwaaide en probeerde te maken dat ik binnen kwam, maar ze was sneller dan ik en zette haar klauwen in mijn lijf. Figuurlijk dan.

"Molly! Leuke midsommar gehad? Ben je bij die paardenfluisteraar geweest?"

Sarah slaagt erin om vragen in aardige bewoordingen te stellen en er toch een portie gif doorheen te mengen.

"Ik ken geen paardenfluisteraar," antwoordde ik zo hautain als ik kon. "En ik was bij Silvy."

"Oh, kom op. Natuurlijk ken je een paardenfluisteraar. Zo noemen ze toch iemand als die blonde Belg."

Geen idee hoe ze wist dat Melvin Belg was, maar ik neem aan dat de tamtam van de buurt zijn werk weer had gedaan. De charme van het landelijk wonen…

"Melvin is geen fluisteraar. Hij gebruikt clickertraining," hield ik vol.

"Oh, dat is hetzelfde."

Nu kon ik dat weerleggen, maar dan leek het alsof ik het voor Melvin opnam en er was geen reden om het voor Melvin op te nemen. Dus zweeg ik.

"Maar je was dus bij Silvy? Dat is toch dat kleine dikkertje met die kinderpony's?"

"Silvy heeft een fokkerij voor stamboekshetlanders."

"Dat zeg ik toch. Kinderpony's. Ik bedoel… als volwassenen kun je er niets mee."

"Silvy doet er een heleboel mee."

"Nou ja, beetje spelen."

"En ik heb Fientje."

"Ja." Ze glimlachte breed. "Heb ik al gezegd dat Emil en ik een prachtig paard hebben gevonden?" Ze keek om naar het bijna goudkleurige paard, dat ze in de rijbak had losgelaten en die briesend op en neer holde. Typisch iets voor een paard van Sarah, om zich zonder reden moe te maken. Mijn paarden keken af en toe bedenkelijk die kant uit, maar bleven lekker in de koele stal staan.

"Ik zie het," zei ik.

"Het was heerlijk samen. We waren vrijdag pas terug. Lekker een extra nachtje aan óns uitje gekoppeld. We hadden het énorm naar onze zin." Haar grijns was zo breed dat hij bijna haar oren raakte. Oh, wat haatte ik haar.

"We hebben ook samen midsommar gevierd," kweelde ze verder. Ze knipoogde even. "Nou, ik ga maar eens met de nieuwe aan het werk. Ik heb geen tijd om alleen wat te spelen met de paarden."

Ze draaide zich om en wiegde weg. En ik haatte haar zelfs nog een beetje meer.

Onwillekeurig keek ik of Emil er niet was. Maar Emil was nergens te zien.

Van Melvin kreeg ik vandaag geen berichtje en ik probeer mezelf wijs te maken dat het niet uitmaakt. Maar stiekem denk ik toch nog steeds aan de vrouw die de telefoon aannam toen ik belde. Was het nu zijn vriendin of toch niet?

Natuurlijk was het zijn vriendin.

Alleen in romantische films is een dergelijke vrouw een zus of zo.

Ik denk dat ik me dadelijk maar eens bedrink met groene thee. Van alcohol word ik zo duf en ik heb nog een flinke berg werk liggen die deze week af moet.

DINSDAG 28 JUNI

Heet. Heet. Heel erg heet.

Heb ik geroepen dat ik een echte zomer wilde? Nou… die is er.

Vannacht nauwelijks geslapen. Blijkbaar hadden de wilde dieren de zomer in de kop, want het was een bedrijvigheid van jewelste in mijn tuin.

Sommige geluiden had ik eerder gehoord, zoals een fluitachtig gegil en een iepiepiep geluid. De oeioeivogel was er ook. Niet dat die bestaat, maar zo noemden Ritch en ik – in een oneindig ver verleden – het beest dat steeds 'oeioei' lijkt te roepen. Misschien is het gewoon een onhandig beest. Ik weet het niet.

Een nieuw geluid was dat van een oude piep-kraakdeur. Nu geloof ik niet dat er deuren door mijn tuin lopen, maar er was een beest aanwezig dat het geluid van piepende en krakende deuren aardig kon immiteren. Verder hoorde ik nog een soort gegrom, dat ik net zomin kon thuisbrengen.

De honden konden dat trouwens ook niet, wat hen erg onrustig maakte.

Een bezoek van herten, die elkaar om vier uur vanmorgen doorlopend waarschuwden met hun typische blafgeluid, sloot de bijeenkomst van het dierenrijk in mijn tuin af. Moes en Typje zetten de kroon op het werk door nog lange tijd door te gaan met blaffen.

En dan te bedenken dat ik ooit naar Zweden kwam voor de rust.

Knap als ik ben, ben ik evengoed vroeg opgestaan en heb zelfs hard gewerkt. Tussendoor ben ik nog even naar Smålänningen – een winkel die bijna alles verkoopt, van kleding tot wasmachines en van serviesgoed tot chocoladerepen, tot en met onnodige maar leuke hebbedingen – gereden en heb mezelf op nieuwe rubberen laarzen met roze veters getrakteerd. Dat was wel nodig, want als ik met regenweer met de honden ging wandelen, hadden mijn voeten in mijn oude laarzen zwembandjes nodig.

Mijn paarden moesten ondanks de hitte ook onder mijn juk leiden. Ik heb ze geplaagd met spelletjes zoals door een poortje van twee prikpaaltjes wandelen en het oefenen van het wijken van voorhand en achterhand; dit keer meer dan slechts een stapje. Ze begrepen inmiddels maar al te goed dat er iets te halen viel en toonden zich ijverig. Ik heb Fientje nog nooit zo enthousiast gezien en Thea danste mij bijna ondersteboven van plezier. Dat laatste zorgde voor wat complicaties. Duizend kilo liefde weghouden doe je niet zomaar even.

Ik deed alle oefeningen in de stal en wel om twee redenen: in de stal zat minder ongedierte en was het koeler, ook al prikten ook hier de dazen er vrolijk op los en joegen de horzels mij en de paarden af en toe de stuipen op het lijf. Het was er evengoed nog altijd minder bevolkt met vliegbeesten dan buiten.

Daarnaast hadden de paarden geen tijd voor mij als ze in de wei stonden. Daar brachten ze namelijk zo weinig mogelijk tijd door en in die beperkte tijd probeerden ze zo veel mogelijk gras naar binnen te werken. Ze doen niet aan dieetdagen.

Ondanks de hitte en de steekbeesten, was het dus een leuke en vruchtbare dag.

Vruchtbaar gelukkig niet in de letterlijke betekenis.

Wat mij eraan doet denken… Ik kreeg een sms'je van Emil. "Ik wil je nog steeds helpen met Thea, maar redt het helaas deze week niet. Ik bel je nog."

Typisch. Ik bel je nog. Dat wordt toch altijd gezegd als ze niets meer met je te maken willen hebben?

Ik maakte mezelf wijs dat het niets uitmaakte en wiste het bericht. Ik nam niet de moeite om antwoord te geven. Waarom zou ik?

Emil was nu van Sarah. Dat was duidelijk. Waarom hij nog niet kwijlend bij de bak stond als ze reed, wist ik niet. Het deed er ook niet toe.

Van Melvin geen nieuws. Natuurlijk niet. Hij had het vast te druk met zijn vriendin. Maakt ook al niet uit. Nou ja, misschien een beetje.

Ritchy wilde overigens wel op bezoek komen. Hij stelde voor om vanavond samen een pilsje te drinken. In mijn tuin nog wel.

Als ik ergens geen behoefte aan heb...

Hoewel het ook wel wat heeft om het eenvoudigweg te weige-ren, heb ik nu gebruik gemaakt van een geldig excuus. Kalle is vandaag jarig en ik ben uitgenodigd om vanavond een kop koffie en iets sterkers te drinken.

Ik hoop dat Ritchy niet denkt dat hij een andere avond wel welkom is.

WOENSDAG 29 JUNI

Nog steeds hoogzomer.

De verjaardag van Kalle was veel rustiger dan het midzomer-
feest en best gezellig. Natuurlijk moest Silvy mij de veulen-
tjes laten zien. Ze had er nu maar liefst zes. Zes kleine pluize-
bollen in allerlei kleurtjes. Ik wilde ze allemaal hebben. Maar
ik wil altijd alles hebben. Ik wil ook altijd alle dieren kopen
die op de nominatie voor de salami staan en eigenlijk wil ik
ook een beetje de wereld redden. Maar daar is nog niet zoveel
van terechtgekomen.

Toen ik vanmorgen met de honden en gewapend met Deet het
bos in liep, sprongen ze in iedere beschikbare waterpoel en
alles wat daarop leek.

Ik kon het hen niet kwalijk nemen. Zelfs de vroege ochtend
werd geteisterd door een overijverige zomerzon die de verloren tijd trachtte in te halen.

Het gespetter en geplens riep herinneringen op aan een druk-
bezocht zwembad en ik kreeg spontaan de neiging om erachteraan te springen. En dat terwijl ik nooit een enthousiaste
zwemmer ben geweest. Je wordt er zo nat van.

Toen ik thuis de honden met vers water af wilde spoelen,
bleek de sproeikop van de tuinslang niet te werken. Met een
gietertje heb ik de ergste schade van de plonspartijtjes weg

gewist. Het was niet gemakkelijk om met een hand een spartelende hond vast te houden en met de ander hand een wiebelig gietertje te hanteren. De honden vonden het duidelijk eng. Misschien was het water te schoon?

Na de honden waren de paarden aan de beurt. Ik probeerde haastig een paar eenvoudige oefeningen uit te voeren, maar werd vanuit een hinderlaag door een heel leger dazen belaagd. Ondanks de Deet.

Ik was niet de enige. De paarden hadden er ook last van en eisten dat ik die enge monsters deed verdwijnen. Ik deed mijn best, mepte erop los en keek er lelijk bij. Dat zou hen leren! De insekten dus.

Tussendoor wilden de paarden evengoed oefeningen doen, want ze hadden wel zin in een paar stukjes wortel en appel. Tenslotte aten ze veel minder, nu ze zoveel tijd in de stal doorbrachten.

Ze waren ijverig. Misschien een beetje te ijverig, omdat het zoemend ongedierte als chili in hun bibs werkte, maar ze deden hun best mij niet ondersteboven te lopen terwijl ze de gevraagde oefening en niet-gevraagde oefeningen uitvoerden.

Uiteraard stond ik als een malle te juichen, wat weer ongewenst de aandacht trok van mijn blonde barbiebuurvrouw Sarah.

Ze stond opeens bij de stal. "Ik hoorde je roepen?"

"Oh… eh, nee. Gewoon gek aan het doen."

"Waarom?"

"Zomaar." Je vraagt toch niet aan iemand waarom ze gek doet?

"Heb je al met die zwarte gereden?" Met een klein hoofd-knikje wees ze naar Thea, die haar argwanend bekeek. Ze lustte Sarah nog steeds niet.

"Nog niet. Ik heb geen passend zadel. Alleen zo'n boomloos ding en dat blijft niet liggen."

"Natuurlijk niet. Die boomloze flutdingen blijven nooit liggen. Dat zijn geen zadels."

Moest ik haar nu zeggen dat ik hele mooie boomloze zadels had gezien op het net en toch nog een poging wilde wagen? Neuhhh.

"Je kunt trouwens ook zonder zadel op dat beest rijden," ging Sarah verder. "Ze is er breed genoeg voor."

"Zonder zadel rijden is niet goed voor de paardenrug." Ik kon moeilijk zeggen dat ik het niet durfde.

Sarah was natuurlijk weer wijzer dan dat. Waarom toch altijd?

"Ze krijgt er niets van, als je er een keer zonder zadel op gaat zitten. Ze heeft kilo's spek op de rug. Je moet dat mormel aan het werk zetten. Dan valt ze af."

"Dat komt wel."

"Zal ik eens op d'r gaan zitten? Eens kijken wat ze kan."

Ik kreeg spontaan dat beeld in mijn hoofd van Sarah, zittend op mijn Thea, met een grote zweep in haar handen en meters-lange sporen aan haar laarzen en een sadistische grijns op haar gezicht en schudde haastig mijn hoofd.

"Jawel. Natuurlijk wel. Gewoon eens kijken wat ze kan. Ik heb nog nooit op zo'n brede knol gezeten." Ze grijnsde. Nu al.

Ik schudde opnieuw mijn hoofd. "Nee, nu niet. Ik ben nog bezig met grondwerk. Het rijden komt later."

"Onzin. Het kan best."

"Niet nu. Ik heb trouwens ook geen tijd. Ik moet aan het werk." Dat was natuurlijk een beetje laf van me. Ik had gewoon moeten zeggen dat ik niet wilde dat zij op mijn paard ging zitten.

"Je zult iets met haar moeten doen. Emil heeft geen tijd meer om je te helpen met het inspannen. Hij heeft het momenteel erg druk."

"Dat maakt niet uit. Ik red me wel."

"Ja, dat heb ik ook tegen hem gezegd."

Feeks.

"En je hebt die Belg nog altijd."

"Ik heb alleen een keertje les van hem gehad."

"Waarin?" Ze grinnikte en knipoogde.

"Clickeren," antwoordde ik stug.

"Ja, ja."

"Echt."

"Paarden zijn niet geschikt om mee te clickeren. Die Belg kan zeggen wat hij wil. Ik weet wel beter. Maar goed... het is tegenwoordig blijkbaar in om alternatief met paarden om te gaan. Het lijkt wel een hype. Paarden worden er strontvervelend van. Ze moeten gewoon weten waar ze aan toe zijn."

Die van jou weten dat wel, dacht ik kwaadaardig. Als ze niet luisteren, krijgen ze gewoon flink op hun donder.

"Ik moet weer aan het werk," zei ik.

"Ja, ik ook. Ik moet nog drie paarden rijden. Komend weekend concours."

"Ah."

"Sommige mensen moeten nu eenmaal echt trainen met de paarden." Met die woorden draaide ze zich om en liep weg. *Feeks*.

Ik knuffelde de paarden nog maar een keer – Thea schrok vast van het voorstel van de feeks – en ging naar binnen om te werken.

En werken heb ik gedaan. Heel de dag.

Een uurtje geleden belde mijn moeder. Zij en paps willen in juli hierheen komen. Eigenlijk best gezellig. Ik heb natuurlijk gezegd dat ze welkom zijn.

En nu lekker bank hangen, thee drinken en Two And A Half Man kijken.

VRIJDAG 1 JULI

Gisteren heb ik je weer overgeslagen, lief dagboek.

De hoefsmid kwam gisteravond de voetjes van mijn paarden bijwerken en daarbij is mijn aanwezigheid nu eenmaal nodig. Niet dat ik meer aan haar werk toevoeg dan het kletsen tot haar oren ervan toeten, maar een eigenaar houdt nu eenmaal het paard vast als de hoeven worden bekapt. Zelfs als die paarden bijna in slaap vallen tijdens de manicure.

Mijn hoefsmid is overigens een jonge stoere meid die geen moeite heeft met het tillen van de voetjes in maat eiken boomstam, zoals die van mijn Thea. Ze vond Thea overigens erg leuk en dat maakte mij dan weer tot een trotse ouder.

Ze was overigens niet alleen. Ze had haar hond meegenomen, zoals altijd. Haar hond is een volle broer van mijn Typje. Reken maar dat die twee samen lol hadden. Ze speelden, renden, buitelden en gapten tussendoor zo veel mogelijk stukjes afgeknipte hoef om op te kauwen.

Als ik de honden moet geloven, gaat er niets boven een heerlijk stukje hoef. Ik kan er niet over meepraten. Ik heb het zelf nooit geprobeerd.

Ik had de paarden voor haar komst ingespoten met stinkspul tegen prikbeesten. Het hielp. De paarden hadden onmiddellijk minder last van het ongedierte, zodat de hoefsmid haar werk kon doen.

Misschien kwam dat omdat het enge gespuis daarna massaal op mij af kwam. Blijkbaar rook ik nu beter.

Nu zie ik er dus uit als iemand die de builenpest heeft.

Sarah heb ik gisteren niet gesproken. Nu moet ik eerlijk bekennen dat ik haar heb ontweken. Ik ben angstvallig binnengebleven, toen ik zag dat zij buiten met haar paarden vocht. Ik was veel te bang dat ze weer op Thea wilde rijden.

En dat wilde ik Thea niet aandoen.

Mijzelf trouwens ook niet. Want stel dat haar dat ook nog zou lukken?

Vandaag ben ik trouwens ook maar uit haar buurt gebleven. Ik weet wel dat ik dat niet de rest van mijn leven kan doen, maar ik kan het altijd proberen.

Mam heeft trouwens weer gebeld, nauwelijks een uur geleden. Ze kwam opeens met het idee dat ik maar naar Nederland moest komen. Papa werd tenslotte zeventig. Hij wilde dat in Zweden vieren, maar mama had besloten dat ze dat niet konden maken. Ze hadden hun verplichtingen ten opzichte van vrienden en familie – die hen dat wel even duidelijk had gemaakt – en ze vond dat ze de plannen om naar mij toe te komen maar even moesten laten varen. Dat kon tenslotte in augustus of september nog altijd, meende ze.

Ik moest dus maar naar Nederland komen en zij was bereid om de reis en het verblijf te betalen. Ze wilde dat ik erbij was, als papa zeventig werd.

Aanvankelijk zag ik het niet zo zitten, maar nu twijfel ik toch. Papa wordt tenslotte zeventig en dat is toch weer een mijlpaal. Bovendien is het misschien nog niet zo slecht om een paar daagjes ertussenuit te gaan. Even weg van mijn werktafel, Ritchy, Melvin, Emil en Sarah. Vooral van Sarah.

Ik kan Lars, de zoon van Silvy, vragen of hij zolang in huis komt om op de dieren te letten. Lars heeft tenslotte een knap vriendinnetje en grijpt iedere gelegenheid aan om met haar alleen te zijn. En Lars houdt van dieren.

Ik kan het morgen met Silvy bespreken. We gaan dan tenslotte naar de Ranch Horse Classics.

MAANDAG 4 JULI

Ik heb behoorlijk verstek laten gaan, lief dagboek.

Maar niet zonder reden. De laatste twee dagen waren op zijn minst gezegd indrukwekkend, ongelooflijk, verwarrend en nog een beetje meer.

Ik ben natuurlijk met Silvy naar de Ranch Horse Classics gegaan en dat was al een hele gebeurtenis, zoals elk jaar. High Chaparell loopt dan vol met cowboys en cowgirls, indianen, pelsjagers, kolonisten en soldaten uit alle uithoeken van Scandinavië en omstreken. In het westerndorp zelf wordt het squaredansen getoond door dames in wijde rokjes en hun mannelijke begeleiders. Dicht bij de showarena waar de dagelijkse wild-west-show met veel geschiet zich laat gelden, neemt ieder dansgraag persoon deel aan linedance op de speciaal daarvoor aangelegde vloer.

Indianen voeren hun rituele dansen uit in hun eigen indianendorp en in Mexico-city zijn het de Mexicanen die de grond doen trillen onder hun ritme.

Het was benauwd, zoals meestal tijdens de Ranch Horse Classics. De drukte was enorm, de westernmuziek denderde overal uit de boxen en op het terrein waar het westernevenement plaats vond, heerstte de gebruikelijke drukte.

Talloze ondernemers in paardenspul hadden een stand gebouwd en maakten het erg aantrekkelijk om luchthartig met de bankbiljetten rond te zwaaien.

Typisch is dat eigenlijk. Je denkt altijd dat je niets nodig hebt totdat je al struinend van stand naar stand opeens ontdekt dat sommige spulletjes werkelijk onmisbaar zijn.

De kraampjes met eten, drinken, churros en ijs deden gouden zaken en in de gigantische wedstrijdarena werden de verschillende disciplines getoond, waarbij veelal koeien betrokken waren die niet altijd even hard meewerkten.

Mijn favoriete onderdeel, *trail* – een wedstrijd waarbij paard en ruiter natuurlijke hindernissen moeten nemen zoals waterplassen, bruggetjes en balken en opdrachten moeten uitvoeren zoals het openen en sluiten van een poortje, het afstappen op een wagen en overladen van melkbussen, het slepen van een boomstam, het optillen van een nepkalf dat vervolgend op de rug van het paard meegenomen dient te worden en nog wat dingen die eenvoudig lijken totdat je het op een paard probeert te doen – had ik gemist omdat die al op vrijdag was gereden.

Maar *cutting* – het afscheiden van een rund van de kudde en deze een bepaalde tijd van die kudde gescheiden houden – zie ik ook graag. Zelfs *roping* is hier leuk om te zien, omdat er bij het lassogooien nooit een echt kalf wordt gebruikt – ik moet er niet aan denken – maar een dummy.

Kortom… ik genoot.

Toen het avondprogramma aanbrak en ik met rode wangen van spanning naast Silvy op het bankje zat, klaar om met het publiek mee te juichen bij alles wat in de avondshow werd getoond, zag ik opeens Emil.

Ik wilde wegduiken, maar was te laat. Emil had mij al gezien. Hij zwaaide naar mij en ik zwaaide een beetje halfslachtig terug. Ik had het gevoel dat hij me had bedrogen, wat eigenlijk best onredelijk was.

Ik verwachtte dat hij door zou lopen, op zoek naar een plaats op de volstromende tribune, maar dat deed hij niet.

Hij kwam rechtstreeks naar mij toe.

Silvy stootte me aan. "Wie is die knappe vent?" vroeg ze.

"Emil."

"De leuke kerel die je helpt met het inspannen van Thea?"

"Ja. En dezelfde kerel die met Sarah twee dagen wegging om zogenaamd een paard te kopen," zei ik een beetje zuur.

"Hebben ze echt een paard gekocht?"

"Ja, dat wel. Maar daar ging het niet om. Ze hadden het o zo gezellig met zijn tweetjes."

"Dat begreep ik al, toen je het laatst noemde. Ik dacht dat je nu wel eroverheen was."

"Hoezo 'eroverheen'? Ik heb niets met hem."

"Nou en?"

Emil had ons inmiddels bereikt en ik stelde beleefdheidshalve Silvy en Emil aan elkaar voor. Silvy bekeek hem met iets meer dan gemiddelde interesse en ik kleurde daardoor een beetje.

"Ik wil nog een keer mijn excuses aanbieden," zei Emil. "Ik vond het vervelend om onze afspraak af te zeggen, vorige week woensdag."

"Het maakt niet uit," loog ik.

"Ik vond het ook vervelend om aan te geven dat ik deze week geen tijd had."

"Ik heb geen haast met Thea. Eigenlijk denk ik dat ik eerst maar eens ga kijken hoe ze het onder het zadel doet."

"Heb je al een goed zadel?"

"Nee, nog niet. Maar misschien vind ik er hier wel een," zei ik. Ik keek hem maar niet recht aan.

"Voor Thea?" Hij trok even zijn wenkbrauwen op.

"Nee, misschien niet voor Thea. Maar ik kan ideeën opdoen."

"Aha. Ben je boos op mij?"

"Natuurlijk niet." Weer gelogen.

"Het heeft met Sarah te maken," bekende hij. "Dat onze afspraak werd afgezegd dus. En dat ik afgelopen week niet kwam." Hij ging zomaar naast me zitten.

"Ik begrijp het," zei ik maar. Als hij maar geen lofrede over perfecte Sarah gaat houden, dacht ik. Dan ga ik gillen. Maar wat kon ik doen? Hem wegjagen? Dat zou niet erg aardig zijn.

"Die dagen dat ik met haar weg was, waren verschrikkelijk," zei hij.

Ik geloof dat het een paar tellen duurde voordat het tot mij doordrong.

"Verschrikkelijk?" vroeg ik verbijsterd.

"Ze stelde zich er te veel van voor." Hij zuchtte en staarde naar de arena, waar enkele cowboys zich opstelden voor een verlate wedstrijd Team Sorting, waarbij ruiterteams koeien moeten uitsorteren.

"Hoe bedoel je?" vroeg ik. Ik denk dat ik wel wist wat hij bedoelde en mijn hart maakte een sprongetje. Maar ik vroeg het zekerheidshalve toch maar.

"Ze wilde… nou ja, ze stelde zich er gewoon te veel van voor. Ik ging mee omdat ze dat vroeg en omdat ik dacht dat ze gewoon niet graag alleen met een trailer reed. Maar dat was niet het punt." Hij zuchtte diep. "We kennen elkaar al vanaf onze kindertijd. We zijn altijd bevriend geweest. Het is niet eens in mij opgekomen om verder dan die vriendschap te gaan en ik dacht dat zij daar dezelfde mening over had. Ik vergiste me dus." Hij keek mij aan. "Daarom wilde ik deze week niet komen. Ik vrees dat ik Sarah een beetje probeer te ontwijken."

"Ah." Ik kon mijn grijns nog maar net onderdrukken.

"Nogal laf. Ik weet het."

"Nou ja, ik begrijp het wel." Haha. "Hoe vatte Sarah het op?"

"Niet goed. Vandaar."

"Vervelend."

"Ja. Nogal. Ik hoop dat je niet boos op me bent."

"Nee." Dit keer meende ik het.

"Kan ik jullie een pilsje of iets anders aanbieden?"

"Een pilsje," reageerde Silvy meteen. Ze grijnsde.

"Een pilsje voor de dame," zei Emil. "En jij?" Hij keek mij aan. Hij had die typische blik in zijn ogen, waar ik helemaal verlegen van werd. Ik geloof dat ik iets stotterde dat op 'bier' leek.

"Leuke vent," vond Silvy, toen Emil door het publiek zijn weg naar de bar vocht. "En niet bezet, zoals je dacht."

"Eh, nee."

"Ik denk dat hij jou gewoon leuker vindt dan Sarah."

"Je hebt het gesprek goed gevolgd."

"Reken maar." Haar grijns werd breder. Ze keek langs mij heen naar een ander punt op de tribune. "Wie is dat?"

"Wie?"

"Die blonde die daar je aandacht probeert te trekken."

"Huh?"

"Hij komt al hierheen."

Het duurde even voordat ik hem zag en toen dat gebeurde, zakte ik bijna door het bankje. "Melvin?"

"De Belg?"

Ik knikte en keek ondertussen toe hoe Melvin zijn weg naar ons toe vocht, met een glas bier in zijn handen.

"Molly, je bent ook hier. Leuk. Sorry dat ik deze week niets meer van me liet horen." Hij keek mij verontschuldigend aan. Silvy schraapte vrij luidruchtig haar keel en hij wendde zich meteen tot haar.

"Sorry. Ik ben Melvin."

"Melvin de Belg. Ik heb over je gehoord. Ik ben Silvy."

"Hopelijk alleen maar goeds," zei Melvin met een klein lachje. Hij keek daarbij weer naar mij.

"Eh ja, laten we het zo maar noemen," zei Silvy lachend.

"Het kwam gewoon doordat Angie zo onverwacht bij me op de stoep stond," ging Melvin verder. "Ik wist helemaal niet dat ze zou komen. Het was een verrassing. Typisch iets voor Ang."

"Oh, eh? leuk," mompelde ik maar.

"Wie is Angie?" vroeg Silvy schaamteloos.

"Mijn zus."

"Je zus?" vroeg ik. Toch nog?

"Ze woont in Antwerpen, maar komt nogal eens op bezoek. Soms wordt de drukte in de stad haar gewoon te veel en dan boekt ze een reis naar Zweden. Ik denk dat je haar zou mogen. Ik heb zelfs overwogen om je uit te nodigen of met Ang naar jou toe te komen, maar ik had het idee dat je het nogal druk had, gezien je sms'je."

"Eh ja, heel druk." Niet helemaal gelogen en niet helemaal waar.

"Maar ik hoop dat we de volgende week de training weer kunnen oppakken?"

"Eh…"

"Waar zijn mijn manieren? Kan ik jullie eerst eens iets te drinken aanbieden? Een biertje misschien?"

"Er is al iemand drankjes halen," zei Silvy.

"Ah, goed." Melvin kwam naast mij zitten.

Precies op dat moment kwam Emil. Ik zag de verbazing op zijn gezicht en wist even niet goed wat ik moest doen. Silvy wel. Die schoof op en maakte plaats voor Emil, zodat hij tussen haar en mij in kon zitten.

"De vriend van je vriendin?" vroeg Melvin hoopvol.

"Nee, de vriend van mijn buurvrouw."

"Een vriend van de buurvrouw," verbeterde Emil mij, met de nadruk op 'een'. Hij stelde zich een beetje argwanend aan

Melvin voor en ging op de vrijgekomen plaats zitten, nadat hij mij en Silvy een groot plastic glas bier had aangereikt.

Ik nam maar vast haastig wat slokken ijskoud bier en was blij dat de wedstrijd begon, zodat iedereen was afgeleid.

Ik kan je vertellen dat ik het warm had, tussen die twee.

Maar de wedstrijd was mooi om te zien en de show met ludieke wedstrijden die daarna volgde nog mooier. De muziek galmde zo hard over het terrein dat praten gelukkig nauwelijks mogelijk was en het publiek ging volledig uit zijn dak.

Ondanks alles genoot ik.

Het werd al donker toen de show eindelijk afgelopen was. Op het terrein en bij de saloon speelden westernbands en hadden mensen de grootste lol.

De mannen vroegen of we nog even bleven; een pintje meedronken. Maar Silvy en ik wilden naar huis. Het was laat genoeg en voor één dag had ik meer dan genoeg opwinding beleefd.

"Volgens mij heb je de keuze," zei Silvy op weg naar huis.

"Wat bedoel je?"

"Melvin en Emil. Volgens mij zijn ze allebei een beetje verliefd op je."

"Welnee."

"Welja, en dat weet je."

"Maar ik zou niet weten wie ik moet kiezen. Als ik echt een keuze zou moeten maken," reageerde ik opeens wanhopig. Het was waar. Ik vond hen allebei erg leuk.

"Dan kies je niet."

"Ik ben geen bigamist."

"Hoeft ook niet. Je houdt hen gewoon aan het lijntje totdat je weet wie het beste bij je past."

"Dat kan ik toch niet maken?"

"Waarom niet? Je hebt met geen van beiden een verhouding. Nog niet. Jullie kunnen toch bevriend blijven, totdat je hen beter kent?"

"Hm. Misschien wel," besloot ik. Het klonk eigenlijk nog niet eens zo gek. Waarom meteen aan een relatie beginnen, zo snel na Ritchy?

Ik knikte nog maar eens.

Natuurlijk waren we ook op zondag op High Chaparell te vinden. De zondag was minder benauwd. In ieder opzicht.

Natuurlijk kwam ik ook Emil en Melvin tegen. Met Melvin at ik een ijsje. Ik moest hem beloven dat ik hem zou bellen voor een nieuwe les.

Met Emil at ik een portie friet en sprak ik af dat we een afspraak zouden maken om weer met Thea aan het werk te gaan.

Ik voelde mij een ware diva.

Toen ik 's avonds bij Silvy at en met Lars afspraken maakte voor de week dat hij op de dieren zou letten, realiseerde ik mij dat ik het een beetje jammer vond dat ik uitgerekend nu naar Nederland ging. Maar misschien was het beter zo. Dan kon ik overal goed over nadenken. Bovendien was het leuk om te weten dat er niet één, maar twéé mannen op mij wachtten.

DINSDAG 5 JULI

Tropische temperaturen. De mussen vallen dood van het dak. Typje dook tijdens de wandeling vol enthousiasme in iedere waterpoel en plonste vrolijk in het rond, terwijl Moesje voorzichtig haar tenen nat maakte.

Gelijk hadden ze. Zelfs de wat troebele waterplassen zagen er uitnodigend uit.

Ik heb na een korte aarzeling mijn schoenen en sokken uitgetrokken en gezellig met Typje in een waterplas gespetterd, maar ik heb net als Moesje alleen mijn pootjes nat gemaakt. Verder dan dat durfde ik niet te gaan. Zelfs niet als de verleiding erg groot was. Stel je voor dat ik in mijn ondergoed in een plas was gaan zitten en dat uitgerekend op dat moment een van de buren langs was gewandeld. Of Sarah. Of Emil.

Na de wandeling en een vorstelijk ontbijt van digestivkoekjes met kaas, thee en een potje aardbeienkwark, ging ik ijverig aan het werk. De bedoeling was goed. De uitwerking minder.

Eerst belde Ritchy. Hij wilde weten waar ik in het weekend was geweest. Hij had mij wel tien keer gebeld, zei hij, zowaar beledigd.

"Ranch Horse Classics," antwoordde ik. Eigenlijk had hij er niets mee te maken, maar het was nu eenmaal geen staatsgeheim.

"Waarom?"

"Hoezo waarom? Omdat het leuk is?"

"Met wie?"

"Silvy."

"Oh." Ik hoorde zijn opluchting.

"Ik heb Melvin en Emil daar ook getroffen. Het was erg gezellig," voegde ik er met veel genoegdoening aan toe.

"Oh." Wantrouwen dit keer. Misschien afkeuring.

Jammer dat hij mijn glimlach niet zag.

"Ik neem aan dat het gewoon vrienden zijn?" vroeg hij.

Hoop. Ik hoorde duidelijk hoop. Haha.

"Ja, nóg wel," reageerde ik pesterig.

"Hoezo nóg wel?"

Paniek? *Yes.* "Ik mag hen allebei heel erg graag. Héél erg graag."

"Ik dacht dat je voorlopig geen man meer wilde."

"Dat dacht ik ook. Maar toen kende ik Emil en Melvin nog niet."

"Molly, we moeten praten."

"Waarover?"

"Het gaat niet zo goed tussen Nova en mij."

"Vervelend voor je." Daar meende ik dus niets van. Mijn grijns werd een beetje breder. Maar hij zag het niet.

"Ik wil even naar je toe komen."

"Jeetje Ritch. Het spijt me." *Echt niet.* "Ik heb geen tijd. Ik heb nog een grote berg werk liggen, die voor mijn vakantie af moet."

"Je kunt toch wel een halfuurtje missen?"

"Nou nee."

"Vanavond dan? Ik neem een fles wijn mee."

"Nee, Ritchy. Echt niet. Ik heb het te druk. Ik ga donderdag naar Nederland. Ik moet voor die tijd een aantal illustraties af hebben."

"Met wie ga je naar Nederland?"

"Alleen. Paps en mams bezoeken."

"Dat hele eind rijden? Alleen?"

"Ik zal niet met vreemde mensen meegaan."

"Molly…"

"Natuurlijk alleen, Ritchy. Ik ben geen klein kind."

"Nee. Natuurlijk niet. Maar ik heb werkelijk behoefte om te praten. Ik heb ruzie met Nova en…"

Ik onderbrak hem. "Ritchy, je problemen met Nova gaan mij niet aan. Ik wil ze niet eens weten."

"Maar Molly…"

"Je hebt mij afgedankt vanwege knappe perfecte Nova. Ik hoop werkelijk niet dat je nu medelijden van mij verlangt."

"Nee, natuurlijk niet. Maar we zijn toch nog vrienden."

"Vrienden begrijpen het als de ander geen tijd heeft. Het spijt me, Ritch. Ik moet echt gaan. Massa werk."

Hij nam een beetje mokkend afscheid en ik merkte dat ik er steeds minder moeite mee had. Van mij mocht hij mokken.

Ik ging meteen weer aan het werk en kreeg een volgend telefoontje. Melvin.

"Ik vond het leuk om je op High Chaparell te treffen," zei hij op zijn gebruikelijke warme manier.

"Ik vond het ook gezellig." Ik probeerde niet te gniffelen.

"Misschien kunnen we weer iets afspreken? Les of iets anders? Misschien allebei?"

"Graag. Maar dan na mijn weekje Nederland. Ik heb je toch gezegd dat ik naar Nederland ga?"

"Ja. Tijdens de Classics. Ga je alleen?"

"Ja."

"Oké." Hij leek even na te denken. "Die Emil…"

"Ja?"

"Is hij… Heb je… Nou ja, heb je iets met hem?"

"Ik ben alleen bevriend met Emil. Hij helpt mij met Thea inspannen."

"Oh. Nou ja. Ik dacht… Doet er niet toe. We zullen na je vakantie in Nederland iets afspreken. Misschien kunnen we een keer gaan picknicken. Ik weet een paar mooie plekjes bij het water. Ik kan lekkere hapjes maken en we kunnen wijn meenemen."

"Klinkt gezellig. Maar durf je het nog aan, na het spaghettiavontuur?"

"Ik kijk ernaar uit."

"Dapper."

"*Living on the edge*. Mijn passie."

"Geen wonder dat je met mij op stap wilt." Ik giechelde nu hardop.

"Ik mag je, Molly."

Oei. Ik grinnikte nog maar een keer. Wat moest ik anders

doen? Zeggen dat ik hem ook mocht? Dat was misschien wel zo, maar het klonk als een liefdesverklaring en zo ver was ik nog niet.

"Ik bel na je vakantie," benadrukte hij.

"Vrijdagmiddag ben ik thuis. Dan spreken we iets af," beloofde ik. Na een gepaste reactie op zijn bekentenis, was dat het minste wat ik kon doen.

Na het telefoontje met Melvin, wierp ik mij opnieuw op mijn werk.

In ieder geval totdat Emil opeens op mijn deur klopte, vlak na de middag.

Hij leek wat schuw, toen ik hem binnenliet. Ik zag zijn haastige blik richting buren. Sarah was met haar zwarte in de weer. Ze leidde hem naar de bak, maar had haar handen vol aan hem. Een flinke pets met de zweep moest hem manieren bijbrengen.

Ik weet niet of ze Emil zag of het daar gewoon te druk voor had.

Ik gokte het laatste, omdat ze niet naar ons keek.

Emil glipte haastig naar binnen.

"Kom ik ongelegen?"

"Nou, ik heb het nogal druk. Ik ga donderdag naar Nederland."

"Ja, dat zei je zondag al. In dat geval… "

"Een kop koffie zit er nog wel in," zei ik haastig.

Emil knikte – zichtbaar opgelucht – en keek toe terwijl ik instantkoffie maakte.

"Gezellig, afgelopen weekend, nietwaar?" zei hij.

"Ja, heel gezellig."

"Ik vond het ook leuk je te treffen. Ik voelde mij nogal rot omdat ik die afspraak had afgezegd – of beter gezegd dat Sarah dat had gedaan – en dat ik het daarna ook liet afweten. Dat ik in het weekend van midzomer een afspraak probeerde te maken was stom. Ik had kunnen weten dat je toen geen tijd had. Maar ik stond daar niet bij stil. Ik wist dat Sarah dan net zomin tijd had, vandaar…"

"Het maakt niets uit. Ik begrijp het wel."

"Is er tenminste eentje die het begrijpt."

Ik keek hem wat verbaasd aan.

"Sarah begrijpt het niet. Ze belt nogal eens. En mijn ouders begrijpen het ook niet."

"Misschien verwachtte iedereen dat het werkelijk iets tussen jullie zou worden."

"Blijkbaar. Maar Sarah is niet mijn type."

"Tja."

"Die blonde, die Melvin… dat is toch die Belg? Die paardenfluisteraar?"

"Hij werkt met clickertraining. Dat is niet hetzelfde."

"Nee. Natuurlijk niet. Is hij…"

"Het is gewoon een vriend die mij helpt met de paarden. Net als jij."

"Oh."

Het was een tijdje stil.

"Wanneer zullen we weer met Thea aan de slag gaan?"

"Wil je niet liever wachten tot de lucht tussen jou en Sarah is opgeklaard?"

"Nee. Ik hoef geen verantwoordelijkheid af te leggen." Hij strekte de rug een beetje. Ongetwijfeld nam hij die beslissing op dat moment.

Om indruk op mij te maken?

"Na mijn tripje Nederland dan maar?"

"Vrijdag."

"Zaterdag. Vrijdag kom ik thuis. Dan heb ik net een reis achter de rug en ben ik misschien niet aanspreekbaar."

Bovendien zou Melvin vrijdag bellen. Maar dat noemde ik liever niet.

"Zaterdag. Prima." Hij dronk zijn koffie en keek mij weer aan. "Ik mag je, Molly."

Ik glimlachte en bleef een reactie schuldig.

Toen Emil vertrok, ging ik meteen weer aan het werk. Het lukte zowaar om nog iets gedaan te krijgen. Ondanks alles.

Soms sta ik echt versteld van mezelf.

Zo meteen werk ik nog maar eventjes verder. In ieder geval tot een uur of acht.

Dan is het televisie-, appeltje- en theetijd.

WOENSDAG 6 JULI

Zon, maar geen zee en strand.

Zelfs geen luierminuutjes voor mij.

Er lag nog een hele berg werk die verzet moest worden, en morgen vertrek ik al naar Nederland.

Dat betekende: geen getreuzel in de bossen met de honden, geen gezellige gesprekjes via internet en geen forumtijd.

Zelfs de paarden moesten het met slechts een knuffel stellen.

Er waren nog illustraties die af moesten en ik heb het huis op orde gebracht. Ik heb werkelijk hard gewerkt.

Mam belde nog om te zeggen dat ze het zo gezellig vond dat ik naar hen toe kwam. Lief van haar. Dat ze, zoals gewoonlijk, heel lang wilde kletsen, kwam iets minder goed uit. Pap riep op de achtergrond dat ze na de verjaardag snel weer naar Zweden kwamen. Voor hem had dat hele feest niet gehoeven.

Een snelle blik op mijn mailbox leerde dat Melvin nog een briefje had gestuurd:

"Molly, veel plezier in Nederland en denk af en toe aan die gekke Belg in Bolmsö. Als je terug bent, gaan we picknicken. Ik zorg voor het eten, jij voor de overalls. Volgende week vrijdag spreken we iets af. Liefs, Melvin."

'Liefs' schreef hij.

Ik schreef toch nog maar een kort antwoord.

"Bedankt Melvin. Ik zal aan je denken als ik een puntzak frietjes eet. Tot over een week. Molly."

Ik overwoog slechts even of ik 'liefs' moest schrijven, maar ik deed het niet. Geen liefdesverklaringen of iets wat daarop kon lijken. Ik had geen relatie met Melvin en wist nog niet of ik dat wilde. Hij was leuk. Maar dat was Emil ook.

Emil stuurde trouwens een sms'je:

"Veel plezier in Nederland. Maar niet te veel plezier, want ik wil graag dat je weer terugkomt. Tot volgende week zaterdag. Xxx Emil."

Emil stuurde krúísjes. Kusjes.

Ik stuurde een sms'je terug.

"Ik doe liever beiden. Veel plezier maken en toch terugkomen. Ik ben nu eenmaal hebberig. Bedankt voor je berichtje. Molly."

Nee. Geen kruisjes voor Emil. Emil was leuk. Maar Melvin ook.

Ik sluit nu af, dagboek, voor de rest van de week. Geen geschrijf in Nederland. Uiteindelijk is het een trainingsdagboek

– al lijkt het daar niet op – en train ik in Nederland niet met de paarden.

Ik ga nog even aan het werk, want straks komen Lars en zijn vriendin en dan moet ik hen wegwijs maken.

Een beetje nerveus ben ik wel. Het is tenslotte een flinke rit naar Nederland.

Misschien vanavond toch maar een likeurtje pikken. Dan slaap ik tenminste een beetje.

Tot de volgende week.

VRIJDAG 15 JULI

Heb je mij gemist? Sorry dagboek, dat je niet mee mocht naar
Nederland.

Maar ik had werkelijk geen tijd voor je.

Lieve help. Ik was vergeten hoe druk het daar was.

Niet alleen in Nederland, trouwens.

Ik ben met de auto naar Nederland gegaan, maar heb gebruik
gemaakt van de overtocht Malmö-Travemunde, zodat ik niet
de hele route in een dag hoefde af te leggen. Ik heb al zo'n
moeite om mijn hoofd langer dan vijf minuten bij een opgave
te houden en dan is 1100 kilometer autorijden in een dag werkelijk te veel van het goede.

De boottocht beviel prima. Na de stress van het inschepen,
kon ik bijkomen met een lekkere pint in de kroeg van de boot,
waar menig vrachtwagenchauffeur met collega's een feestje
vierde. Daarna lekker het bed in gerold en de volgende morgen in alle vroegte ontbeten. Tot zover ging alles goed.

De nachtmerrie begon pas in Duitsland, waar iedereen vlie-
gende haast heeft en het wegennetwerk doet denken aan een
overbevolkt mierennest. Welgeteld vijftien *Baustellen* maakten het niet gemakkelijker.

Na een dolle tocht richting Nederland met veel koffiepauzes
om van de schrik te bekomen, werd ik in de Nederlandse
drukte ondergedompeld.

Ik heb nooit beseft hoe populair ik ben voordat ik emigreerde. Als ik in Nederland ben, wil opeens iedereen mij zien. Absoluut gezellig, maar ook vermoeiend.

Soms, heel soms, als ik met familie en vrienden van de zwoele zomeravond genoot, bijgelicht door vrolijke lampionnetjes en onder het genot van menig glaasje wijn, in de vrolijke stemming zoals die alleen met absolute naasten mogelijk lijkt, besefte ik dat ik dat wel miste in Zweden.

Maar als ik mij een dag later weer in de betonjungle begaf en de stadsridders het hoofd bood, wist ik dat Zweden een goede keuze voor mij was. Ik hoor niet thuis in het bezige leven van Nederland, waar iedereen het heel erg druk heeft met hun eigen leven en dat van de buren.

Voor de terugweg nam ik heel erg veel tijd en dat zorgde ervoor dat ik om de haverklap een pauze kon inlassen om op adem te komen. En zo overleefde ik ook op de terugweg weer de Duitse autowegen. Maar ik kan je vertellen dat ik opgelucht was, toen ik weer in Travemunde kon inschepen.

Weer terug naar mijn eigen stille landje. En natuurlijk naar Typje, Moesje, Thea en Fientje. En misschien naar Melvin en Emil.

Al moet ik toegeven dat ik niet zoveel aan hen heb gedacht als ik had verwacht.

Misschien is dat maar goed ook.

Ik was zo blij toen ik weer mijn eigen straat in reed, dat ik had kunnen juichen.

Een stemming die meteen de kop in werd gedrukt, toen ik de auto van Ritchy op mijn oprijlaan zag staan.

In hem had ik geen zin.

Eerlijk… ik overwoog door te rijden om in de stad iets te gaan eten of zo, om pas over een paar uurtjes opnieuw polshoogte te nemen. Maar ik zag mijn paardjes met gespitste oren in de wei staan en maakte mezelf wijs dat ze mijn auto al hadden gezien en blij met me waren.

Dus parkeerde ik mijn auto op de oprijlaan, sleepte mijn tas eruit en zwoegde naar de deur, waar ik meteen werd overvallen door twee heel erg blije honden.

Ritchie zat in de keuken met Lars en dronk koffie met hem. De vriendin van Lars was er niet. Ze was werken, vertelde Lars.

Iedereen leek blij mij te zien.

Lars omdat hij sociale verplichtingen ten opzichte van mijn ex niet zo zag zitten en Ritchie omdat hij iemand nodig had om tegen te zeuren.

Het was uit met Nova, vertelde hij vrijwel meteen.

"Jammer voor je," antwoordde ik, en ik bood hem geen nieuwe koffie aan.

Ik zei niet rechtstreeks dat ik hem graag zag vertrekken, maar nam de tijd om de afgelopen dagen met Lars door te spreken – de dieren waren natuurlijk engelachtig braaf geweest, als ik hem moest geloven – om daarna alle dieren uitgebreid te knuffelen.

Ritchie liep de hele tijd achter mij aan als een hondje. Irritant.

Hij probeerde het gesprek over zijn verloren liefde opnieuw op gang te brengen toen Lars was vertrokken, maar ik maakte duidelijk dat ik werkelijk moe was en behoefte had aan rust. Hij verliet meesmuilend mijn domein. Hij zag er zowaar zielig uit toen hij vertrok en ik voelde een steek van medelijden. Toch nog.

Had ik nog gevoelens voor hem?

Ik besloot dat ik daar absoluut niet over wilde nadenken en ging lekker met een verse kop koffie in de wei bij de paarden zitten. De honden kwamen trouw naast me liggen.

Het waaide flink, maar het was niet koud en ik genoot ervan. De drukte in mijn hoofd ebde weg.

Weer thuis.

Heerlijk.

Tegen de avond belde Melvin.

Het was een beetje vreemd om weer met hem te praten. Alsof ik jaren weg was geweest.

Ik geloof dat ik het bewust kort hield en dat was misschien sneu voor hem. Maar we maakten in ieder geval een afspraak voor een picknick op zondagmiddag. Hij zou dan voor het eten en drinken zorgen, beloofde hij.

Nu zit ik hier in mijn dagboek – in jou dus – te schrijven en vraag mij af of die picknick wel een goed idee is.

Misschien is het beter om eens een tijd afstand te nemen van alles wat mannelijk is?

Of is het beter Sylvies raad op te volgen en met zowel Emil als

Melvin bevriend te blijven, zodat ik hen wat beter leer kennen?

Het is allemaal een beetje verwarrend.

Door het raam zie ik Sarah met de zwarte in de rijbak rijden. Ze hebben ruzie. De zwarte is boos en Sarah is bozer en laat hem dat voelen.

De zwarte slaat met zijn staart en ziet er alles behalve gelukkig uit. Sarah lijkt net zomin plezier te hebben.

Was paardrijden van oorsprong niet een hobby? Ik ben opeens blij met mijn geklungel met de clicker. Sarah kan goed rijden, maar ik zou niet met haar willen ruilen.

En nu, lief dagboek, neem ik een likeurtje – meegenomen vanuit Nederland – en duik ik lekker op tijd in bed met mijn nieuwe boek van Agatha Christie.

Tot morgen.

ZATERDAG 16 JULI

Het was heerlijk om weer in mijn eigen bed te liggen en te luisteren naar de stilte om me heen.

Ik was bijna vergeten hoe speciaal dat was.

Waar een retourtje Nederland al niet goed voor is.

Het was vandaag behoorlijk warm, maar er stond een stevige wind, die ervoor zorgde dat je buiten kon komen zonder meteen te smelten. Ik heb van de gelegenheid gebruikgemaakt en buiten ontbeten, met uitzicht op mijn prachtige paarden, die slechts zo nu en dan de tijd namen om haastig te grazen, om meteen daarna weer terug te vluchten naar de veiligheid van de stal, waar de steekvliegen minder goed gedijen.

Ik geloof trouwens dat ik de enige in de omgeving ben, die af en toe buiten eet.

De Zweden lijken dat niet te doen.

Ze barbecueën graag, maar niet zelden is het dan vooral een kwestie van de barbecue volladen en binnen wachten totdat het vlees de gewenste graad van verbranding heeft bereikt, om het daarna, vaak binnenshuis, te veroberen.

Behalve tijdens een uitje. Dan slepen ze tassen voedsel mee en maken gebruik van de kampvuurvoorzieningen, al dan niet met rooster, die je werkelijk overal aantreft, om van een barbecue-picknick te genieten.

Ik eet echter regelmatig zomaar buiten. Zonder barbecue en in eigen tuin. Zoals vanmorgen.

Ik moet eerlijk bekennen dat ik ietwat ongerust was dat Ritchy weer zou opduiken. Ik had geen zin in hem.

Niet na een druk weekje.

Misschien ook niet na een rustige week.

Maar Ritchy kwam niet.

Emil echter wel.

Niet bij het ontbijt, maar rond de middag.

Hij leek een beetje te aarzelen, voordat hij de tuin binnen liep, maar ik zag hem zijn moed verzamelen en toch de poort door wandelen, een schuwe blik richting buren werpend. Zijn angst voor Sarah behoorde blijkbaar nog niet tot de verleden tijd. Al zou hij dat vast niet toegeven.

Het voelde een beetje vreemd, om weer met hem te kletsen. Alsof er een lichte spanning was ontstaan, die ik niet kon plaatsen.

Het was geen onaangename spanning. Meer de spanning van verliefde tieners.

Maar hemel… wat een vergelijk. Ik was niet echt verliefd. Toch?

Emil stelde de verplichte vragen over mijn weekje Nederland en vroeg toen of ik klaar was voor de grote test met Thea.

Ik moet toegeven dat ik meteen nerveus werd, maar ik knikte dapper.

Emil bleek de auto te hebben volgestouwd met tuig maatje

mamoettanker en ik hielp hem met het aanslepen van de zware rommel, richting wei.

Fientje en Thea bekeken het gebeuren met argusogen, maar Typje hielp dapper mee door overal zijn tanden in te zetten en eraan te trekken, alsof hij duidelijk wilde maken dat hij het wel zou dragen.

Moesje werd wat nerveus van de bedrijvigheid, maar slaagde er later toch in om een dekje te gappen en ermee weg te hollen, uitdagend wachtend tot een van ons achter haar aan zou hollen.

Omdat ik weet dat het ingaan op een dergelijke uitdaging een soort marathon in de tuin betekent – waar het dus veel te warm voor was – deed ik alsof ik het niet zag. Moesje liet het dekje zwaar teleurgesteld vallen en ging maar weer in de zon liggen. Ongetwijfeld vond ze ons dodelijk saai.

Emil verbaasde mij opnieuw met zijn handigheid, toen hij Thea ging optuigen.

Ik moet toegeven dat ik zijn werkzaamheden met plezier bekeek.

Ik kijk toch al graag naar Emil als hij aan het werk is.

Het heeft iets, nietwaar? Zo'n leuke man, druk in de weer met een paard.

Thea verbaasde mij opnieuw met haar gemoedelijkheid tijdens het optuigen. Ze vond het allemaal best. Niets kon haar deren. Nou ja, de steekbeesten deerden haar natuurlijk wel een beetje. Maar dat was dan ook alles.

Emil liet haar eerst een poosje voor zich uit lopen, zoals hij dat ook die eerste keer had gedaan, terwijl hij deskundig de leidsels hanteerde en controleerde of Thea kabaal en getrek aan het tuig verdroeg.

Thea gaf geen krimp. Emil besloot dat het vast niet nieuw voor haar was en dat ze toe was aan een volgende stap. Hij hing een band achter Thea en stuurde haar opnieuw door de wei.

Grenzeloos bewonderend volgde ik alle verrichtingen. Hij deed gewoon alles goed. Wonderlijk.

Hij ging bovendien rustig en vriendelijk met Thea om, hield zelfs zijn geduld met Fientje, die doorlopend de leidsels van hem wilde overnemen en mopperde niet eens op Typje toen hij over hem struikelde omdat mijn ijverige goed bedoelende hond hem weer wilde helpen.

Thea liet zich ook bij het slepen van de band van de beste kant zien en Emil besloot dat ze echt aan het werk kon. Hij maakte de band los, hing een grijper aan de zwengel en stuurde Thea de wei door, helemaal naar achteren, waar het hout wachtte.

Ik liep een beetje zinloos met hem mee en keek toe hoe hij de grijper om het uiteinde van een boomstam klemde en Thea de boomstam naar de voorkant van de wei liet trekken, zonder zelf de nek over die stam te breken.

Iets wat mij dan weer wel bijna lukte – het bijna breken van mijn nek over de boomstam dus – terwijl ik niet eens iets hoefde te doen.

Hij wilde net teruggaan voor een tweede stam, toen Sarah opeens opdook. Als een duveltje uit een doosje.

"Wat zijn jullie aan het doen?" vroeg ze op haar eigen kattige wijze. Ze keek mij daarbij niet aan. Alsof ik niet bestond.

"We halen de boomstammen naar voren voor je vader," zei Emil.

"Met dat beest?"

"Dat beest is een ardenner."

"Wat dan ook. Papa heeft een tractor."

"Ja, dat weet ik. Maar daarmee kun je niet achter in de wei komen. Bovendien leek het mij wel leuk om te kijken hoe de ardenner het deed."

"Leek dat jou of háár leuk?" Nu wierp ze wel een blik in mijn richting. Het was bepaald geen vriendelijke blik.

"Doet dat ertoe?" vroeg Emil ongeduldig.

"Heb je iets met haar?"

"Doe niet zo idioot."

"Doe ik idioot?" Ze trok haar wenkbrauwen op. "Ik geloof anders niet dat ík mij met deze hitte sta uit te sloven met een boerenknol om de aandacht van een of ander grietje te trekken."

"Sarah, alsjeblieft…"

"Je hebt iets met haar."

"En als dat zo was… wat dan nog?"

Een opmerking waar ik van schrok. Ik keek Emil verbijsterd aan, maar zijn blik was op Sarah gericht.

"Ik accepteer niet dat je mij zo behandelt," reageerde Sarah woedend.

"Wat accepteer je niet? Dat ik de nacht niet met je wilde door-

brengen? Dat ik niet verder wilde gaan dan vriendschap?"
Sarahs ogen schoten vuur.

"Sarah, we zijn altijd vrienden geweest en dat kan wat mij betreft ook zo blijven. Maar meer dan dat wil ik niet."

"Je wekte anders de indruk dat…"

"Ik wekte helemaal geen indruk. Ik ben altijd veel bij jullie gekomen, heb altijd al interesse getoond in je doen en laten en ging met je mee naar dat paard kijken, omdat ik dacht dat je praktische hulp nodig had. Niet om met jou in bed te duiken."

"Verdorie Emil, laat het niet zo verdraaid banaal klinken. Zo was het niet."

"Nee?"

"Ik haat je," schreeuwde Sarah. Ze draaide zich om en wilde weglopen, maar bedacht zich op het laatste moment en richtte haar nijdige aandacht op mij.

"En jij bent ook een trut. Het laatste is hierover nog niet gezegd," zei ze.

Daarna stampte ze woedend weg.

Ik keek haar verbijsterd na.

"Het spijt me," zei Emil verontschuldigend.

"Jij kunt er niets aan doen," zei ik. Ik haalde mijn schouders een beetje op, maar voelde mij toch erg ongemakkelijk.

"Misschien kunnen we hier beter later een keer mee doorgaan," zei Emil toen. Hij was duidelijk ook uit zijn evenwicht gebracht.

Ik knikte.

Ik hielp met het aftuigen en liet Emil daarna zomaar gaan.
Stomme ik.
Ik had in moeten gaan op de opmerking 'en wat als het zo is?'
Ik had moeten vragen wat hij daarmee bedoelde.
Maar misschien durfde ik dat niet.

Tegen de avond heb ik toch nog wat clickeroefeningen van
Melvin herhaald. Al was het maar omdat ik afleiding nodig
had.
Het stelde niet veel voor. We deden een spelletje bal aanraken, wat eindigde in een hyper potje voetbal en ik leerde Thea
naast een grote steen te parkeren, terwijl ik zelf op die steen
ging staan, klaar om op te stappen.
Ik stapte natuurlijk niet op.
Maar ik had het kúnnen doen.

Nu is het alweer avond en zit ik met een glaasje alcoholarm
bier in mijn tuin.
Het wordt een beetje frisjes en de muggen bestormen mijn lijf
als ridders die een middeleeuws kasteel belagen.
Tijd om naar binnen te vluchten.
Morgen staat een picknick met Melvin op het programma.
Gelukkig heeft Melvin geen Sarah als vriendin.

ZONDAG 17 JULI

Het is al heel erg laat en ik had al in bed moeten liggen, maar de onrust in mijn lijf wil niet wijken.

Vandaar dat ik nu in je schrijf, lief dagboek. Misschien helpt het wel bij het ordenen van mijn verwarrende gedachten. Volgens psychologen in ieder geval wel. Maar ja, die zeggen zoveel.

Ik had al eerder mijn dagelijkse gebeurtenissen willen neerpennen, maar een onverwacht bezoek van Ritchie gooide roet in het eten.

Maar laat ik met de picknick met Melvin beginnen.

Het weer werkte mee. Het was warm vandaag, met een aangenaam briesje. Prima picknickweer dus.

Hij kwam mij om twaalf uur halen en ik deed alsof ik net klaar was met mijn verschrikkelijke drukke bezigheden van de dag. En dat terwijl ik eigenlijk de hele morgen nutteloos had lopen ijsberen.

Goed… ik heb de dieren veelvuldig geknuffeld en dat vonden zij dan weer niet nutteloos, maar verder dan dat kwam ik niet.

Ik had heel veel willen doen, maar er kwam gewoon niets van terecht.

Ik geloof dat ik nerveus was.

Misschien voelde ik mij ook een beetje schuldig. Tegenover Emil.

Idioot. Ik weet het. Maar ik kon het niet helpen.

Hoe dan ook... toen de auto van Melvin voor de deur stopte, sprong ik als een door een bij gestoken deerne de lucht in en rende naar de voordeur.

Ik weet niet meer wat ik heb gestameld toen hij naar binnen kwam, maar waarschijnlijk heb ik voornamelijk tuttige en onlogische opmerkingen gemaakt.

Dat doe ik namelijk meestal als ik nerveus ben.

Hij plaagde me niet te lang met zijn charmante aanwezigheid in mijn huis – waarbij ik mij gestrest afvroeg of ik hem nu wel of niet koffie moest aanbieden – maar nam me mee naar buiten en hield zelfs het portier van de auto voor me open. Als een echte gentleman.

We gingen naar het Bolmen – ja, bijna naar zijn huis – waardoor ik mij weer schuldig voelde omdat ik hem dat hele eind had laten rijden, terwijl ik zelf erheen had kunnen gaan... hoewel... ik had zijn plannen niet kunnen weten, nietwaar? Hij had het uiteindelijk niet gezegd.

Op een bepaald moment reed hij een schemerig bospaadje in. Een nieuw stressmomentje voor mij, omdat het even in mij opkwam dat ik hem niet zo heel erg goed kende en hij misschien snode plannen smeedde. Maar het leidde naar een inham met steiger, waar een motorbootje van hem bleek te liggen.

We zouden het water op gaan en een heerlijk rustig eiland uitzoeken voor de picknick.

Nu is het hier bijna overal rustig, maar een onbewoond eiland heeft natuurlijk wel iets.

Melvin had een grote koelbox meegenomen en bleek werkelijk overal aan te hebben gedacht: Tunnbröd, ciabattabrood, brie, sinaasappeljam, Italiaanse kaas, verse aardbeien, chocolade, suiker, vruchtensap, koffie, thee en vast nog wel het een en ander dat ik alweer ben vergeten. Oh ja, hij had ook nog wijn bij zich, waardoor ik in de loop van de middag honderduit sprak en zelfs met hem flirtte.

Als ik daaraan denk, word ik alsnog rood. Ik zou werkelijk niet moeten drinken, zo midden op de dag.

Maar het was wel gezellig. We hebben heerlijk gegeten en gezwommen en ik hing aan Melvins lippen toen hij over zijn trainingen vertelde.

Hij bleek zelfs zijn kippen te hebben getraind. En ik heb met mijn grote mond – door de wijn dus – gezegd dat ik dat beslist wilde zien.

Hij ging er meteen op in en dat betekent dus dat we een nieuwe afspraak hebben gemaakt. Min of meer. De dag en tijd staan nog niet vast, maar alleen omdat ik nog geen werkplanning had gemaakt. Iets waar ik mij overigens zelden aan houd.

Maar ik heb genoten.

Toen we op een bepaald moment wel erg dicht bij elkaar zaten en hij mij voorzichtig, zogenaamd toevallig, aanraakte, voelde ik de drang om hem te kussen.

Ik heb het niet gedaan. Ondanks de wijn. Gelukkig.

Wilde ik niet alleen bevriend blijven met de heren? Althans voorlopig?

Toen Melvin mij weer naar huis bracht, zei hij dat hij het heel erg gezellig had gevonden en ik geloof dat hij het ook nog meende. De lieverd.

Ik had werkelijk de rest van de avond willen nadromen, maar Ritchie gunde mij die kans niet. Misschien had hij een vermoeden?

Hij kwam meteen na het avondeten en bleef veel te lang.

Nova was bij hem weg, jammerde hij. Hij begreep opeens niet meer waarom het tussen ons fout was gelopen.

Hallo? Werd je niet verliefd op een ander en was die ander niet mooier, slimmer, leuker en begripvoller?

Ik weet het. Ik had hem onder zijn achterwerk moeten schoppen, richting zijn eigen gekozen nest. Maar ik ben nu eenmaal een watje.

Ik heb hem een beetje laten jammeren en hem daarna wijsgemaakt dat het wel goed kwam tussen hem en Nova.

Hij geloofde mij niet en vroeg of het nog goed kwam tussen ons.

Dat geloofde ik dan weer niet en dat heb ik hem ook gezegd.

Maar ik zag toch dat sprankje hoop in zijn ogen.

Misschien had ik duidelijker moeten zijn: Nee, nooit, *never again, aldrig i livet, no, njet*.

Zucht.

Ik denk dat ik maar een stevige borrel neem en daarna ga kijken of ik niet toch de slaap kan vatten.

Misschien droom ik wel over Melvin. Of Emil.

Ik heb Emil vandaag niet gezien. Sarah ook niet.

Als ik aan die twee denk, besluipt mij toch een ongemakkelijk gevoel.
Zucht.

MAANDAG 18 JULI

Ik heb het geprobeerd, dagboek. Echt waar. Ik heb werkelijk geprobeerd om mijn werk weer op te pakken.

Uiteindelijk wachtten nog twee kabouters op het aanmeten van een uiterlijk en lag een nieuw project met vreemdsoortige wezens klaar om vorm te krijgen.

Genoeg reden om ijverig te worden dus, maar het wilde niet lukken.

Ik heb lang genoeg aan mijn bureau gezeten. Daar lag het niet aan.

Maar mijn hoofd was duidelijk nog op vakantie. Of elders.

Een tussendoor-uitstapje naar een nabijgelegen meer met hondenbadplaats zorgde wel voor een aangename afkoeling voor mij en Typje en frisse voetjes voor Moesje, maar leidde niet tot helderheid in mijn hoofd.

Omdat ik mij toch nuttig wilde maken, besloot ik de paarden te trainen.

Het werd een erg vruchtbare training.

Fientje heeft geleerd om met een plastic fles te gooien en Thea kreeg een cursus flessen pletten. In het dagelijks leven wellicht niet erg zinvol, maar ik heb in ieder geval gelachen.

Volgens mij hadden ook de paarden een grijns op hun snoet.

Fientje heeft overigens ook nog geleerd om de pet van mijn hoofd te jatten en ermee weg te rennen. Helemaal een idee van haarzelf en ik vond het eigenlijk wel grappig. Alleen bedenk ik nu dat ik de komende winter waarschijnlijk geen muts meer op mijn kop kan zetten als Fientje in de buurt is.

Ze beleefde te veel lol aan het afnemen van de pet en ik verdenk haar ervan dat ze het bijna een belediging vond om daar ook nog een beloning voor te krijgen.

Ik heb nog overwogen om Thea targetting van de handschoen aan te leren, maar ik bedacht me toen ik me realiseerde dat ze dat dan ook in de winter zou kunnen gaan doen en dat zoiets dan mijn vingers kon kosten. Thea vindt het namelijk erg leuk om in een target te bijten.

Misschien had ik na mijn speeltraining kunnen werken – ik voelde me tegen die tijd best ontspannen – als Sarah niet was opgedoken.

Mijn stresslevel schoot meteen weer de hoogte in.

Haar gezicht stond op zeven dagen onweer, toen ze op de omheining leunde en een bedenkelijke blik in onze richting wierp.

Ik groette haar min of meer, omdat dat van mij werd verwacht.

Misschien wilde ze de scène van zaterdag vergeten. Ik weet dat ik dat graag wilde vergeten.

En inderdaad… ze repte er geen woord over.

Ze vertelde me dat ze binnenkort de wei nodig had. Míjn wei.

Ze bazelde iets over jaarlingen of iets dergelijks, maar ik heb het nauwelijks meegekregen. Ik had het te druk met in paniek raken.

Haar ouders hadden mij het gebruik van de wei voor onbepaalde tijd beloofd en nu wil zij mij alles afnemen. De feeks.

Ze hebben nota bene zoveel hectare grond dat ze er een pretpark kunnen bouwen. En dan heeft ze mijn wei nodig?
Goed... strikt genomen is het niet mijn wei. Het is de wei van Sarah en haar ouders. Maar ik heb de wei gepacht en daarmee is hij toch op zijn minst een beetje van mij.

Ik weet niet meer wat ik precies heb geantwoord. Alleen dat Sarah het toneel weer verliet met een arrogant glimlachje.
Oh, wat haat ik dat mens.
Ik ben meteen naar binnen gegaan en heb mij rotgesurfd op het net, op zoek naar een huisje met grond voor mezelf. Maar ik moet eerlijk zijn.
Het zit er financieel niet in.
Van werken is uiteraard niets meer terechtgekomen en mijn mentale gezondheid laat momenteel te wensen over. Ik slinger van paniek naar berusting en van haat naar het nuchtere idee dat ze mij alleen maar schrik aan wilde jagen.
Misschien moet ik Emil bellen.
Maar nee... ik denk niet dat ik dat nu kan doen.
Het is al tien uur geweest en ik weet niet wat ik dan van hem verwacht.
Misschien wil ze me werkelijk alleen de stuipen op het lijf jagen.
Als dat het geval is, dan is haar dat in ieder geval gelukt.

Ik denk niet dat ik veel slaap vannacht.

Misschien neem ik zo meteen een borreltje. Of twee. Of meer.

Als dat zo doorgaat, word ik nog alcoholist.

DINSDAG 19 JULI

Rommelig weer.

Past goed bij mijn gemoedstoestand.

Ik heb afgelopen nacht geen oog dichtgedaan en val nu bijna tijdens het schrijven – in jou, dagboek – in slaap.

Nou ja, dat is weer eens iets anders dan met je hoofd op de kloeke borstkas van een knappe minnaar in slaap te vallen.

Ik moet steeds aan het gesprekje van gisteren met Sarah denken.

Hoewel… kun je wel van een gesprekje spreken, als het gaat om een eenzijdig bericht? Want dat was het.

Sarah maakte duidelijk dat ze mijn wei wilde inpikken. Niet met exact die woorden, maar daar kwam het wel op neer. Ze beweerde dat ze de wei nodig had. Onzin natuurlijk. Ze is gewoon nijdig op mij vanwege Emil. De heks.

Ik wed dat ze geniet van de impact die het op mij heeft.

Vanmorgen was ze aan het werk met haar eigen paarden. Ze reed eerst die zwarte en later nog een goudbruine. Volgens mij was die laatste haar nieuwe paard.

Het ging er niet zachtzinnig aan toe. De paarden waren enorm druk door de harde wind en het leek meer op vrij worstelen dan op rijden. Maar uiteindelijk kreeg ze de paarden wel goed aan het lopen. Maar een ding is zeker: haar methode verdient niet de schoonheidsprijs.

En dan doel ik niet alleen op de methode waarop ze met paarden omgaat.

Ik heb haar trouwens al een hele tijd niet meer met de vos aan het werk gezien. Daar reed ze toch vroeger het meeste mee. Zou ze hem hebben verkocht?
Zo is ze wel… geen gevoel in haar lijf.
Ik zou het liefst erheen gaan en een kom vette slasaus over haar keurig gekapte hoofd gieten. Ik zou haar met het gezicht in een grote berg mest met vliegen willen drukken. Ik zou haar met groot plezier door Moesje laten omhelzen, nadat ze weer vieze plakkerige stinkende rommel heeft gevonden om zich lekker in te rollen. Ik zou… ik zou…
Zucht.
Ik haat haar gewoon.

Ik heb trouwens toch maar Emil gebeld. Ik dacht dat ik gek werd van het ijsberen in huis en ik móést gewoon met iemand praten. Met Emil dus.
Ik heb hem verteld dat Sarah mijn wei wil inpikken, maar hij reageerde niet zo verongelijkt als ik had gehoopt.
Hij bleef rustig en opperde dat ze dat waarschijnlijk gewoon in een woedende bui had gezegd om mij te pesten. Ze heeft nogal veel temperament, voegde hij eraan toe.
Alsof ik dat nog niet had gemerkt.
Het leek hem erg onwaarschijnlijk dat ze die wei werkelijk zou opeisen. Hij was ervan overtuigd dat haar ouders dat

nooit zouden toestaan.

Hij wilde wel naar mij toe komen, zei hij, maar dat heb ik afgewimpeld. Ik merkte dat ieder bagatelliserend woord van hem meteen in mijn verkeerde keelgat schoot. Ik vreesde dat ik me daardoor onredelijk zou opstellen en misschien zelfs ronduit sacherijnig zou reageren. Dat zou niet eerlijk zijn. Hij probeerde de situatie alleen nuchter te bekijken.

Maar ik wilde geen nuchtere mensen om me heen.

Ik wilde mensen die mij gelijk gaven en samen met mij op Sarah gingen schelden. Mensen die met mij in paniek raakten, zoals dat hoort in een dergelijke situatie.

Melvin belde me trouwens vlak daarna. Ik zag zijn nummer in de display. Ik heb het telefoontje niet aangenomen. Ik heb alleen een mail gestuurd, de situatie uitgelegd en duidelijk gemaakt dat ik liever even met rust gelaten word.

Nu vraag ik me af of hij die mail verkeerd kan opvatten en daaruit de conclusie kan trekken dat Emil en ik iets met elkaar hebben.

Voor mijn gevoel heb ik het allemaal goed uitgelegd, maar helderheid is niet mijn sterkste kant. Al helemaal niet als ik erg emotioneel ben.

Ik heb nog geen mail terug gekregen. Dus tja…

Jammer. Misschien had ik hem anders alsnog gevraagd om samen in paniek te raken. Of zou hij ook zo afschuwelijk nuchter en verstandig zijn?

De paarden heb ik vandaag maar met rust gelaten, hoewel ik misschien nog een potje flessen pletten met hen had kunnen doen. Leuk om frustraties kwijt te raken. Maar ik was gewoon te moe en te erg van streek.

Ach… ik neem nog maar een keer een borrel. Of een paar borrels. Een avondje meer of minder toegeven aan de alcoholist die diep in mij verborgen gaat, doet er ook niet meer toe. Misschien dat ik vannacht dan slaap.

WOENSDAG 20 JULI

Het was me het dagje wel.

Mooi weer, maar winderig.

Maar die wind was niets vergeleken met de storm in mijn hoofd.

Emil stond zomaar opeens voor de deur. Ik schrok me dood.

Ik had de vorige dag met hem gebeld – maar dat heb ik al verteld, nietwaar? – maar ik had niet verwacht dat hij opeens voor de deur zou staan.

Ik zal het eerlijk toegeven.

Zijn reactie viel tegen, toen ik hem gisteren belde. Hij leek het allemaal met een korrel zout te nemen, terwijl ik een held nodig had die voor mij opkwam en Sarah op haar nummer zette. Nu hij opeens voor mijn deur stond, laaide mijn hoop toch weer op. Onterecht, bleek later.

Nee. Het is niet eerlijk dat ik dat zeg. Want hij heeft me wel geholpen.

Alleen niet op een heldhaftige manier, waarbij hij met getrokken zwaard tegen Sarah ten strijde trok.

Nee. Hij toonde zich ook nu weer verstandig.

Hij liet namelijk meteen weten dat de vader van Sarah ook zou komen.

Doodnerveus was ik. Ik gooide zomaar de hele inhoud van de koffiepot over het aanrecht toen ik verse koffie had gezet en alles vast klaar wilde zetten.

Maar Emil was tactisch genoeg om er niets van te zeggen en ik slaagde erin de troep op te ruimen en nieuwe koffie te zetten, voordat Sarahs vader aanbelde en zich verontschuldigde, omdat we zolang op hem hadden moeten wachten.

Hij bleef niet lang, maar hij vertelde dat zijn dochter het niet zo had bedoeld.

Natúúrlijk kon ik de wei gewoon blijven gebruiken, zoals afgesproken, verzekerde hij mij.

Hij bekende dat Sarah soms iets te veel temperament had en mompelde dat ze daar maar eens iets aan moest doen. Hij keek er peinzend bij, dus ik denk dat hij het meende.

Als hij al wist dat Emil de reden voor haar gedrag naar mij toe was, dan liet hij dat in ieder geval niet merken. Hij noemde alleen dat Sarah erg inzat over haar vos, die een ernstige peesblessure had opgelopen die in toenemende mate voor problemen zorgde, en dat ze daardoor de laatste dagen erg onredelijk was. Hij liet zich ontvallen dat het bij hen thuis momenteel ook geen feestje was.

Arme man.

Maar Sarah had evengoed niet het recht om mij de stuipen op het lijf te jagen, vond hij, en hij was vastbesloten haar daarop aan te spreken.

De wei was tenslotte niet eens van haar, maar van haar ouders. Hij dronk sneller koffie dan ik ooit eerder iemand had zien doen en slaagde erin om in die korte tijd vier koekjes weg te werken. Maar ik vond het prima.

Na zo'n bericht mocht hij van mij de hele koekjestrommel leeg eten.

"Het komt ook een beetje door mij," zei Emil, toen Sarahs vader was vertrokken. "Ik wist dat ze over die vos inzat en wilde gewoon aardig zijn. Misschien gaf ik daardoor verkeerde signalen af en stelde ze zich daardoor meer voor van onze relatie dan het was."

Ik knikte maar. Ik vond evengoed dat Sarah zich als een feeks had gedragen, maar zei het niet.

"Ik wil geen relatie met haar," benadrukte Emil toen hij mij recht aankeek. Ik kreeg het gewoon warm van die blik. Koortsachtig warm.

"Maar ik ben altijd bevriend met haar geweest en ik wil haar ook niet laten vallen," zei hij toen.

Dat vond ik dan weer wat minder.

"Maar ik vind jou ook heel erg leuk."

"Ook?" Ik kon het niet laten om die vraag te stellen.

Hij glimlachte. "Op een andere manier," zei hij. "Ik denk dat je wel weet wat ik bedoel."

En toen stond hij op, gaf me spontaan een kus op mijn wang en verdween.

Ik heb nog tien minuten als een geschrokken vogeltje aan de keukentafel gezeten.

Wat was er nu allemaal gebeurd?

Ik kan het nog steeds niet zo goed bevatten.

Toch heb ik daarna nog gewerkt, wat bijzonder knap van me was, gezien de situatie. Ik heb twee kabouters vormgegeven én ik heb de paarden getraind. Ondanks alles.

Met Fientje heb leeg gemend; je weet wel… paard voor de wagen, maar dan zonder wagen. Misschien zet ik haar ooit echt voor de wagen. Haar buik wordt stilaan zo dik als een kanonskogel. Als ze niet wat meer aan beweging gaat doen, kan ze straks alleen nog maar door de wei rollen.

Het ging niet eens zo slecht, voor ons doen. Fientje liep niet altijd in de gewenste richting en probeerde op een bepaald moment onder Thea door te lopen, wat tot wat complicaties met de leidsels leidde, maar we sloten in ieder geval goed af met een knap rondje wei.

Met Thea heb ik het naast de rots parkeren geoefend en ik heb zowaar op haar gezeten. Zomaar.

Ik wilde alleen over haar heen hangen en opeens zat ik op haar rug.

Ik heb haar juichend wel tien snoepjes gegeven. Ik was zo trots.

Ik krijg het nog steeds warm als ik eraan denk.

Ik ben daarna trouwens meteen afgestapt.

Ik vond het zo'n overwinning dat ik het niet wilde verknoeien met een ritje dat misschien ergens in de struiken eindigde.

Nu zit ik dus nog een beetje nagloeiend te schrijven. Trots, vanwege mijn prestatie en verward vanwege Emil.

De wei mag ik dus houden. Dat is fijn.

Emil mag ik, volgens mij, ook houden.

Ik zou een gat in de lucht moeten springen.

Waarom dan toch nog steeds die storm in mijn hoofd?

Maar weer een borreltje? Of toch maar een onschuldige kop thee?

Welterusten, dagboek.

DONDERDAG 21 JULI

Ik ben vandaag ijverig geweest, dagboek.

Ik heb ontzettend hard gewerkt en alle kabouters uit het boek hun definitieve vorm gegeven. Ik hoop dat ze er tevreden over zijn.

Ik wil tenslotte liever niet 's nachts troepen kabouters bij mijn bed zien, hevig protesterend tegen de lijfjes die ik hen heb aangemeten of mopperend dat ik niet op de hoogte ben van de laatste kaboutermode.

Maar ik heb meer gedaan dan alleen dat.

Ik heb bijna twee uur met de honden gewandeld. Knap, niet-waar?

Typje heeft lekker in een beekje gespeeld, want de temperatuur was ondanks het vroege uur – ik vertrok al om vijf uur in de ochtend – aangenaam, en Moesje heeft hier en daar lekker in het mos gerold. Ze stonken niet eens heel erg toen we terugkwamen.

Ik heb daarnaast ook nog met de paarden gewerkt.

Ik heb Fientje op straat leeg gemend en dat ging zomaar goed. We zijn slechts een keer in de greppel beland en dat was niet haar schuld. Ik struikelde over een slordig neergelegde steen op straat – de enige steen die daar lag – en zij schrok van mij, sprong aan de kant en trok me mee de vochtige greppel in. Maar alleen om daarna verbaasd op me neer te kijken met een vraag in haar mooie amandelvormige ogen: Waarom lig je nu?

Ze besloot echter meteen dat mensen nu eenmaal vreemde wezens zijn met op zijn zachtst gezegd uitzonderlijk gedrag en maakte maar van de gelegenheid gebruik door te gaan grazen. Als pony moet je nu eenmaal overal het beste van maken, nietwaar?

Ik ben overigens niet te ver weg gegaan met Fientje, want Thea was een beetje in paniek en ik wilde de omheining deze keer graag heel houden.

Na Fientjes training heb ik met Thea op straat op en neer gewandeld. Gewapend met de clicker natuurlijk. Stapje, click, snoepje. Twee stapjes, click, snoepje. En het ging zomaar goed. Een keer maakte ze een snoekduik richting sappig gras en werd ik meegeslingerd. Maar ik viel zacht en Thea vond het niet erg. Zolang ik maar niet in haar eten lag.

Sarah heb ik de hele dag niet gezien. Schaamt ze zich en houdt ze zich verborgen? Dat lijkt mij onwaarschijnlijk. Maar ze was vandaag in ieder geval niet in de weer met haar paarden.

Van Emil en Melvin heb ik ook niets gehoord. Maar ik had dan ook de telefoon eruit getrokken, mijn gsm uitgezet en ik heb geen mail gekeken.

Dat maakt het natuurlijk wel een beetje gecompliceerd om iets van je te laten horen.

Ik raak zo in de war als ik aan die twee denk…

Emil maakte tenslotte min of meer duidelijk dat hij meer in mij zag dan gewoon vriendschap. Ik had een gat in de lucht moeten springen, maar ben dus alleen in paniek geraakt.

Wil ik iets met Emil? Ik dacht van wel, maar nu twijfel ik.

En hoe zit dat met Melvin?

Als ik daarover na probeer te denken, slaat mijn hoofd op tilt als een ouderwetse gevoelige flipperkast.

Theoretisch zou ik nu, om tien uur 's avonds, doodmoe moeten zijn. Maar ik lijk nog steeds op een Duracel-konijntje.

Ik denk dat ik nog maar eens een stukje ga wandelen met de honden.

Zij vinden dat niet erg en misschien word ik dan wel moe.

VRIJDAG 22 JULI

Alweer een warme dag achter de rug.

Warm en benauwd. Misschien komt er wel onweer.

Ik ben niet bang voor onweer.

Ik ga graag voor het raam of in de deuropening staan en kijk naar de fascinerende lichtflitsen, die zich als gele graffiti tegen de donkere lucht aftekenen; onheilspellend en boeiend tegelijk.

Ik hou van de harde donderslagen, die je soms zomaar opeens doen inkrimpen. Je voelt het van je kruin tot in je teennagels en het maakt bang en opgewonden tegelijk... dat gevoel... dat is speciaal.

Ik had vroeger een tante die onder de tafel in de keuken ging zitten, als het onweerde. Ze miste alle pret. Ik weet natuurlijk dat onweer ook gevaarlijk kan zijn en voor een heleboel ellende kan zorgen, maar ik heb dat aan den lijve nooit ondervonden. Misschien dat ik er daarom nog van geniet.

Maar op dit moment is de hemel nog helder, met slechts hier en daar wat sluierbewolking, grijzend door het invallen van de avond. Het is windstil en door de openstaande deur ruik ik het frisse groen.

Ik ben net pas binnen.

De hele avond ben ik met de paarden in de weer geweest. Ik heb met Fientje bijna een kilometer leeg gemend, zonder dat

Thea achter ons aan kwam, en ik heb Thea over dezelfde afstand aan een los touwje over straat geleid. Eerst een paar stapjes met de clicker beloond; daarna wat meer stapjes, toen nog wat stapjes daarbovenop en voordat ik het wist, stond ik bij de brug, een kilometer verderop.

Ik heb zelfs mijn kans gewaagd en ben met haar op en neer gelopen over de brug. Thea had meer interesse in de sappige grasplukjes aan de andere kant van de brug dan voor het klotsende water onder de brug, het tikkende metaal van de reling of de tractor die ons daar passeerde. Ik ben trots op haar. En op mij.

Gewerkt heb ik overigens ook. De kabouters zijn helemaal af en ik ben aan een nieuwe opdracht met veel elfjes en trollen begonnen.

Ik heb er zin in.

Waar ik die energie vandaan haal, weet ik niet.

Het is onlogisch. Heel erg onlogisch. Want het was ook een verwarrende dag.

Vanmorgen om tien uur stond Emil voor de deur. Hij liep naar binnen alsof hij hier woonde en ging meteen aan de keukentafel zitten, waarop ik hem maar een kop koffie heb gegeven. Het voelde een beetje vreemd.

Het hele gesprek verliep eigenlijk vreemd. Gespeeld. Hij vroeg hoe het ging en zo en ik gaf braaf de sociaal wenselijke antwoorden, totdat ik mij niet meer kon inhouden en vroeg wat er aan de hand was.

Hij aarzelde even, maar vertelde het toen toch. Want ik had natuurlijk gelijk. Er wás iets aan de hand. Hij had een baan aangeboden gekregen aan de universiteit in Australië.

Hij had die typische blik in de ogen, toen hij mij aankeek en het vertelde, waardoor ik niet goed wist waar ik die van mij moest laten; die blik dus.

"Het schijnt erg mooi te zijn in Australië," merkte ik nogal onnozel op.

Hij gaat weg, dacht ik. Ik voelde een lichte paniek en nog iets anders. Geen idee wat dat 'anders' was, maar ik liet het niet merken. Mijn lip trilde alleen een beetje. Ik hoopte dat hij het niet zag.

"Een buitenkans," zei hij. Maar het klonk niet alsof hij dat werkelijk vond.

"Wat doe je ermee?" vroeg ik toen toch maar.

Hij haalde zijn schouders op. "Niets voor jou? Australië?"

Vroeg hij mij nu om mee te gaan?

Ik giechelde nerveus. "Ik ben bang voor krokodillen en giftige spinnen."

"Die zitten niet overal."

"Nee, dat niet."

Zijn blik bleef nog een poosje op mij gevestigd en ik kreeg het zo benauwd als een vrouw in de overgang die een opvlieger voor haar kiezen krijgt.

"Nou ja, ik hoef niet meteen te beslissen," zei hij toen. "Maar ik wilde het even kwijt."

Ik knikte maar.

"Weet Sarah het?" vroeg ik toen. Ik geloof dat het moeilijk was om een stommere vraag te verzinnen. Waarom begon ik toch altijd over Sarah, als hij er was?

"Nog niet," zei hij. "Ik moet het haar natuurlijk vertellen. Ik bedoel… we zijn al lang vrienden."

"Ja, natuurlijk," zei ik haastig.

We dronken nog een poosje koffie en opeens keek hij mij recht aan.

"Molly, ik vind je erg leuk," zei hij. Zijn blik zei meer dan woorden en ik bloosde. "Dat maakt het juist zo moeilijk."

Ik geloof dat ik wat woorden hakkelde, maar weet niet meer wat ik zei.

Hij legde zijn hand op die van mij – echt waar – en keek mij aan.

"Ik weet niet hoe je over mij denkt," zei hij toen. "De laatste dagen waren verwarrend. Maar misschien wil je erover nadenken?"

Ik knikte, nog steeds zo rood als een overrijpe tomaat.

Toen hij vertrok, liep ik als een dolgedraaide clown te giechelen. Ik wilde Gaby en Silvy bellen – liefst tegelijk – maar heb het uiteindelijk niet gedaan.

Ik zou toch niet uit mijn woorden kunnen komen.

Bovendien zouden ze mij dan vragen wat ik zelf wilde. En dat wist ik niet. Dat weet ik nog steeds niet.

Emil maakt duidelijk dat hij me leuk vindt, en ik weet niet wat te doen!

Idioot.

Emil was overigens niet de enige man die mij bezocht.

Ritchy kwam ook opdagen.

Hij had met Nova gepraat, vertelde hij.

"Dat is fijn," antwoorde ik. Ik meende het niet, maar dat kon ik moeilijk zeggen.

"Misschien komt het weer goed," ging hij verder.

Ik knikte wijs.

Hij keek mij onderzoekend aan. "Ik weet dat ik een paar keer hier ben geweest en misschien bij jou de hoop op een hereniging heb opgewekt…"

Lieve help. Hoe arrogant kun je zijn?

"Oh alsjeblieft, Ritchy, ik blief je niet meer." Een erg eerlijke reactie die hij niet had verwacht.

Hij kneep zijn ogen samen. "Heb je iets met die Emil? Of die Melvin?"

"Ritchy, mijn leven gaat je niet aan."

Hij wilde meer vragen stellen, zag ik, maar zag er toch maar van af. Misschien had hij niet zo'n zin in de antwoorden.

Koffie kreeg hij ook niet en hij droop dan ook snel genoeg af. Een-nul voor mij.

Van Melvin heb ik niets gehoord en eerlijk gezegd zit mij dat een beetje dwars. Ik weet niet waarom.

Ik heb hem nota bene zelf geschreven dat de situatie gecompliceerd is en dat ik wat tijd voor mezelf nodig heb. Nu geeft hij mij die tijd en zit het mij dwars.

Ik begrijp mezelf niet.

Misschien is het ook beter als hij bij me uit de buurt blijft.

Ik blijf zelf ook liever uit mijn buurt, maar ja… dat is moeilijk, hè? Je neemt jezelf overal mee naartoe.

Maar toch heb ik dus hard gewerkt en getraind.
Ondanks dat hele gedoe. Of misschien dánkzij dat hele gedoe?
De drang naar afleiding maakte me blijkbaar erg ijverig.

Tijd voor een appeltje, thee en televisie. Met Kimmy gezellig op mijn schoot. Mijn oude patroontje volgen. Misschien komt het dan allemaal vanzelf goed.
Welterusten.

ZATERDAG 23 JULI

Ik heb het gevoel in een of andere soap verstrikt te zijn geraakt.

Maar laat ik bij het begin beginnen.

Ik heb enorm slecht geslapen – ondanks mijn werklust van gisteren – en toen ik vanmorgen uit het raam keek en de hemel op de aswolk van een geteisterde vulkaan leek, voelde ik mij opeens triest.

Ik had daar officieel geen reden voor.

Het probleem met de wei was opgelost, de paarden hadden laten zien dat ze toch iets leerden van mij, ik schoot goed op met mijn werk en Emil had duidelijk gemaakt dat hij voor mijn charmes was bezweken. Maar Emil had natuurlijk ook dat aanbod in Australië gekregen.

Was ik daarom triest?

Ik wist het niet.

Omdat de dag zich ontvouwde als een donker doolhof zonder uitgang, besloot ik uiteindelijk toch maar Sylvie te bellen.

Nog voordat ik ook maar voorzichtig een hint kon geven over het hopeloze emotionele moeras waar ik in wegzonk, nodigde ze mij uit voor een kop koffie. Misschien had ze de wanhoop in mijn stem gehoord.

Ik nam de uitnodiging natuurlijk graag aan.

Ik ging bij haar koffiedrinken en gooide alles eruit.

Sylvie vertelde mij niet wat ik moest doen. Dat kon ze natuurlijk ook niet doen en dat wist ik wel, maar het zou toch gemakkelijker zijn geweest.

Sylvie stelde echter wel veel vragen. Over Emil en over Melvin. Zelfs over Sarah.

Ze probeerde mij aan het denken te zetten – dat begreep ik wel – maar iedere vezel in mijn lijf verzette zich daartegen. Ik wilde niet nadenken. Nadenken was eng.

Toen ik weer thuiskwam – toch weer een beetje vrolijker – zag ik Sarah in de wei worstelen met mijn paarden.

Ik had geen idee wat ze aan het doen was en rende er meteen naartoe. Nog voordat ik hen had bereikt, trok Fientje zich los en piepte ertussen uit. Thea werd onrustig en kreeg van Sarah een fikse klap van het touw op haar neus. Thea sprong onmiddellijk opzij waardoor Sarah haar balans verloor en schoot meteen daarna in volle vaart achter Fientje aan, zich totaal niet storend aan een gillende en om zich heen slaande Sarah aan de andere kant van het leidtouw.

Sarah hield het niet lang vol. Ze dook vol in de modder, werd een paar meter meegesleept als een ware moddersurfer en zag zich genoodzaakt om het op te geven.

Ik schoot in de lach. Zenuwen. Denk ik. Hoewel het eigenlijk ook wel grappig was.

Toch wat beschaamd verstopte ik mij achter een boom, terwijl Sarah woedend overeind krabbelde en met grote plenzende stappen naar de paarden liep die onmiddellijk weer gas gaven; weg van het Sarah-moddermonster in hun wei.

Ik zag nu pas dat de poort van de wei aan straatzijde openstond en daar gingen ze dan ook regelrecht naartoe. Shetlanders en koudbloeden hebben een zesde zintuig voor openstaande poorten, vrees ik. Het ontgaat hen nooit.

Ik schoot achter mijn boom uit, maar was te laat om in te grijpen. De paarden renden de straat op en Sarah zag mij.

"Die rotknollen van jou zijn stapelgek," schreeuwde ze woedend.

"Mijn paarden zijn niet gek. Die zijn alleen maar gewend dat mensen normaal met ze omgaan," kaatste ik terug.

Was ze nu helemaal gek geworden? Mijn paarden beledigen…

"Dan ga jij er maar normaal mee om en breng ze naar de wei hier tegenover. Pa moet met de tractor in de wei zijn." Ze wierp mij een met gevaarlijk gif gemengde blik toe, trok haar bevallige neus op en liep – nog steeds plenzend – weg.

Verderop stond haar vader bij de tractor.

Ik had geen idee hoelang hij daar al stond.

Ik zwaaide halfslachtig naar hem – alsof hij daarop stond te wachten – dwong mezelf tot rust en liep naar mijn paarden. Ze stonden een eindje verderop, naast de weg, in de berm te grazen.

Ze hadden hun halsters al om – door toedoen van Sarah uiteraard – en de touwen bungelden werkeloos op de grond.

Ik noemde hun namen, liep erheen en pakte de touwen vast.

Zomaar. Ik was verbijsterd. Ze ondernamen niet de geringste poging om te ontsnappen.

Als beloning krabbelde ik ze even en liet ze een paar minuutjes grazen, om daarna met hen naar de aangewezen wei te lopen. Alsof het niets was.

Mijn hele kop grijnsde.

Ik sloot het hek af en liep naar de vader van Sarah toe, waarbij ik krampachtig probeerde om mijn grijns binnen te houden. Het was niet aardig om openlijk te grijnzen, na alles wat er was gebeurd. Sarah was tenslotte zijn dochter.

"U moet in de wei zijn met de tractor?" vroeg ik.

Hij knikte. "Ik heb Sarah gezegd dat ik kon wachten totdat je terug was, maar ze stond erop om het nu meteen te regelen." Hij schudde zijn hoofd. "Sarah is soms…" Hij maakte de zin niet af en zuchtte diep.

Hij keek naar de stal, waarin Sarah was verdwenen.

"Sorry," zei hij toen. Het klonk oprecht en ik besloot dat ik de man definitief mocht.

"Niets aan de hand," zei ik. Ik glimlachte naar hem. "Zeg maar als u klaar bent, dan zet ik de paarden terug. Ik ga nergens meer heen."

Hij knikte, leek nog iets te willen zeggen, maar stapte toen in de tractor en ging aan het werk.

Ik liep met kaarsrechte rug terug naar huis.

Eenmaal binnen lachte ik hardop. Eindelijk mocht het. De tranen rolden over mijn wangen. Sarah, het moddermonster.

Ik hou van mijn paarden.

Ik heb vanmiddag achter mijn bureau gezeten in de hoop wat werk gedaan te krijgen, maar daar is dit keer weinig van terechtgekomen. Ik wilde wel werken, maar mijn hoofd zag het niet zitten.

Mijn hoofd is soms zo enorm eigenwijs…

Inmiddels lopen mijn paarden weer in hun eigen wei en is het in mijn hoofd nog steeds zo'n chaos dat het wel een supermarkt in de uitverkoop lijkt.

Ik heb trouwens nog steeds niets van Melvin gehoord.

Zal ik hem een mailtje sturen? En dan? Wat moet ik zeggen?

Nee. Ik stuur geen mailtje. Ik neem een mok thee en een appeltje en dan ga ik naar bed.

Misschien kan ik zelfs slapen.

Ooit zal ik toch weer moeten slapen?

ZONDAG 24 JULI

Het stormt. Niet alleen buiten, maar ook in mijn hoofd. Windkracht 12 of zo.

Melvin stond vanmorgen zomaar opeens voor de deur toen ik verwaaid en verregend met de honden uit het bos kwam. Het schijnt een gewoonte van iedereen te worden om zomaar opeens op mijn stoep te staan.

Eerst deed alleen Ritchie dat, maar daarna verscheen Emil een paar keer op mijn drempel en nu is het Melvin. Of zou het een mannending zijn om iedere keer zomaar opeens op te duiken?

"Ik moet met je praten," zei Melvin, nog voordat ik zelf een woord eruit kon brengen.

Ik knikte en liet hem binnen.

"Koffie?"

"Graag." Hij ging aan de keukentafel zitten en ik voelde hoe hij iedere beweging van mij met zijn ogen volgde. Het was een wonder dat ik geen koffie over het aanrecht strooide of op andere wijze mijn motorische handicap blootlegde onder zijn blik.

Toen ik eenmaal tegenover hem zat, liet hij meteen zijn bommetje vallen. "Ik ben verliefd op je, Molly."

Wat moet je daar nu op zeggen?

Ik bloosde en stamelde iets dat ik zelf niet eens verstond.

"Ik weet dat je ook veel met Emil omgaat en misschien heb je al iets met hem…"

"Ik heb… eh… niets met hem," zei ik meteen. Ik had bijna gezegd dat ik *nog* niets met hem had. Stom. Wilde ik dat dan? Toen ik Emil net kende, zou ik meteen met een grote grijns hebben geknikt. Nu wist ik het opeens niet meer zo zeker.

"Maar hij ziet je wel zitten," ging Melvin verder.

"Waarom denk je dat?" vroeg ik.

"Dat zie ik aan de manier waarop hij naar je kijkt; hoe hij zich gedraagt."

"Oh."

"Ik denk dat je dat zelf ook wel weet. Misschien heeft hij het zelfs gezegd."

"Iets in die richting," bekende ik.

Melvin vond het niet leuk. Dat zag ik.

"Wat wil je zelf?" vroeg hij toen.

Ik haalde wat onnozel mijn schouders op en durfde hem niet aan te kijken.

"Misschien moet je daarover nadenken," zei hij. Hij dronk zijn koffie in één teug op en ging weer staan. Hij keek mij even aan en het leek alsof hij nog iets wilde zeggen. Maar hij bedacht zich blijkbaar, groette me een beetje slordig en wilde weglopen.

Maar bij de deur draaide hij zich nog een keer naar mij om.

"Ik ben leuker dan Emil," zei hij. Hij glimlachte er een beetje jongensachtig bij. "Echt waar." Hij wilde weer weglopen, maar bedacht zich opnieuw. "Bovendien heb ik geen Sarah om me heen hangen. Alleen de paarden. En soms mijn zus." Daarna draaide hij zich dan toch definitief om en maakte dat hij wegkwam.

Ik bleef verbijsterd en verward achter.

Dat hij mij leuk vond, had ik eigenlijk wel begrepen. Maar ik had niet verwacht dat hij dat zo rechtuit zou zeggen.

Ik bleef nog heel erg lang aan die tafel zitten, stom voor mij uit starend. In ieder geval totdat Ritchie belde en vroeg of hij even langs kon komen. Hij wilde over *ons* praten.

"Ritchie, er is geen 'ons' meer," maakte ik duidelijk. "Bovendien is de ruzie met Nova toch bijgelegd?"

"Ja, dat is wel zo. Maar ik twijfel soms toch of wij niet…"

Ik liet hem niet uitspreken. "Ik niet," zei ik. Ik verbrak bot de verbinding en ging weer verder met peinzen. Hoewel… kun je wel van peinzen praten als je alleen voor je uit staart met je hoofd zo leeg als een leeg gelepeld eierschaaltje?

Tegen de middag probeerde ik me tevergeefs toch maar op mijn werk te storten – wel lang aan de werktafel gezeten, maar alleen hark-poppetjes getekend – en tegen de avond ging ik naar buiten om met de paarden te werken.

De bedoeling was goed.

De paarden zochten op dat moment in de schuilstal beschutting tegen de wind. Toen ik ook de stal in liep, gewapend met mijn spulletjes voor een serieuze training, voelde ik plots de laatste povere restjes energie in mijn rubberen laarzen zakken.

Ik ging op het trapje naar de hooischuur zitten en knuffelde de paarden, die een voor een aandacht opeisten.

Waarom was ik zelf geen paard? Rondlopen in de wei, gras eten en af en toe de trainingsbuien van een maf mens tolereren. Er bestonden vast moeilijkere zaken in het leven. Al zou ik geen paard van Sarah willen zijn.

Van trainen kwam niets meer terecht.

Ik heb Sarah trouwens niet gezien vandaag en vraag me zomaar opeens af hoe het met die vos van haar is. En of ze werkelijk verdriet heeft over het feit dat hij niet in orde is.

Een gedachte die ik weer van mij af schuif.

Ik voel me vooral moe.

Ik herinner me het moment waarop ik met dit dagboek begon, vastbesloten om mijn trainingsvorderingen vast te leggen. Ik herinner me de eerste keer dat ik over Emil schreef en het moment waarop ik Melvin leerde kennen en fantaseerde hoe ze allebei verliefd op mij werden. Het leek geweldig. Maar nu het echt zo is, voelt het vooral verwarrend. Ik begrijp dat ik een keuze moet maken en dat is iets waar ik nooit goed in ben geweest.

Ik besef ook dat mijn trainingsdagboek allang niet meer over trainingen gaat.

Alles is in het honderd gelopen.

Een kopje thee, een koekje, een appeltje en een groot glas sterkedrank.

Vannacht wil ik nergens meer aan denken.

Morgen ook niet.

DONDERDAG 28 JULI

Sorry dagboek. Ik heb verstek laten gaan. Drie lange dagen.

Maar ik heb hard gewerkt. Het is lang geleden dat ik zo hard heb gewerkt, maar het was nodig. Ik lag veel te ver achter en mijn bankrekening stierf bijna een wrede dood.

Het harde werken gaf me tevens een excuus om niemand te ontvangen.

Het werd ook te gek voor woorden. Ik ging in Zweden wonen vanwege de rust en kreeg nu opeens de ene complicatie na de andere op mijn dak.

Ik had tijd nodig.

En die tijd heb ik nu genomen.

Telefoon eruit getrokken, geen mailtjes bekeken… alleen maar gewerkt, met de honden door het bos geslenterd en bij de paarden rondgehangen.

Misschien moet ik ooit eens met een echt trainingsdagboek beginnen. Maar niet vandaag.

Vandaag stond Emil weer op de stoep. Ruim een uur geleden, om precies te zijn. Hij wilde praten. We hebben aan tafel gezeten en hij praatte. Over Sarah.

Het gaat niet goed met Sarahs paard – die vos – en dat is haar eigen schuld, vertelde hij. Ze heeft hem kapot gereden en dat weet ze. En dat is iets waar ze maar moeilijk mee om kan gaan. Daarom doet ze zo vervelend, volgens Emil.

Ik vond haar voorheen al vervelend, maar goed…

Hij vertelde dat hij bevriend was met Sarah en hoopte dat ik begreep dat hij die vriendschap nooit op het spel zou zetten.

Hij kon ruzie met haar maken; boos op haar zijn. Maar hij kon de vriendschap niet afbreken.

Maar eigenlijk had ik dat allang begrepen.

Emil is loyaal. Misschien is dat wel een van zijn mooiste eigenschappen.

Emil legde zijn hand op die van mij, terwijl hij praatte.

Een vriendschapsgebaar of veel meer dan dat?

Eigenlijk weet ik het wel. Emil heeft het tenslotte genoemd.

Dat wat hij voor mij voelt, is meer dan alleen vriendschap.

Maar het is niet meer ter sprake gekomen. Net zomin als zijn aanbod in Australië.

Langzaam vallen de vele puzzelstukjes op hun plaats. De dikke mist in mijn hoofd trekt eindelijk weg en de schimmen die mijn gevoelens vertegenwoordigen, krijgen langzaam vorm.

Misschien kan ik vanacht zelfs slapen. Met hulp van Maria. Tia Maria, welteverstaan.

Welterusten, dagboek.

VRIJDAG 29 JULI

Het is weer zomer. De zon schijnt en er staat nauwelijks wind. Een heerlijke dag, in veel opzichten.

Ik heb vanmorgen hard gewerkt en ben daarna met de paarden aan de slag gegaan. Ik heb op Thea gezeten en ze heeft met mij op haar rug een rondje in de wei gestapt! Ik had niet verwacht dat ik ooit weer op een paard zou stappen, maar het ging min of meer vanzelf.

Ik oefende weer het parkeren naast het opstapblok, ging erop zitten en stapte toen zomaar met haar weg. Ik voelde me een koningin op een schommelend schip. Ik heb een beetje gejuicht.

Ik liep nog steeds met een grote grijns op mijn gezicht in de wei rond, toen ik Sarah opeens met haar ouders mijn tuin in zag lopen, op zoek naar mij.

De grijns kreeg de vorm van een zenuwtrekje, toen ik naar hen toe liep.

Ik kon mij niet goed voorstellen dat hun komst veel goeds betekende.

En uitgerekend vandaag lustte ik geen slecht nieuws.

Maar ik had mij geen zorgen hoeven maken.

Sarah hield zich op de achtergrond, terwijl haar vader het woord voerde.

"Sarah wil haar excuses aanbieden," zei hij.

Hij keek even om naar Sarah, die na een kleine elleboogstoot van haar moeder knikte. Het viel me op, hoeveel Sarah op haar moeder leek. Vooral als haar moeder – net als Sarah zo vaak – pinnig haar lippen op elkaar klemde.

"Het is al goed," mompelde ik maar.

Ik kreeg zowaar visioenen waarin ze Sarah dwongen om mij te omhelzen of iets dergelijks. Eng. Benauwend. "Niets aan de hand," zei ik er zekerheidshalve nog maar eens haastig achteraan.

"Sarah gaat naar Duitsland," vertelde haar vader. "Ze gaat bij een klassieke dressuurschool in de leer. Een unieke kans. Ze heeft haar vos kapot gereden en…"

"Pap," onderbrak Sarah hem geïrriteerd. Ze wierp een nijdige blik op haar vader.

Het leverde haar een nieuwe elleboogstoot van haar moeder op.

Sarahs vader keek naar zijn dochter. "Het is gewoon zo," zei hij. "De vos is op zijn achtste rijp voor pensioen dankzij jouw gebrek aan geduld en overdosis temperament. Het wordt hoog tijd dat je bij een verstandig instructeur in de leer gaat, voordat je nog meer paarden kapot rijdt."

Sarah zweeg nukkig.

Hij wendde zich weer tot mij. "Ze vertrekt morgen al, maar ik wilde eerst de lucht tussen jullie twee opklaren. Voor zover mogelijk dan." Hij glimlachte daarbij een beetje en Sarah's moeder duwde Sarah vooruit.

Sarah trok even gespannen met haar mond, toen ze haar hand naar mij uitstak.

Oh, ik speelde absoluut even met de gedachte om de hand niet aan te nemen, maar dat ging zelfs mij een beetje te ver.

Ik nam de hand dus aan en schudde hem.

Veel viel er niet te zeggen. Vriendinnen zouden we nooit worden, maar ze stond op een nieuwe afslag in het leven en ze was daarin niet de enige.

Ondanks alles voelde ik toch een beetje met haar mee.

Alleen al daarom glimlachte ik naar haar en wenste haar veel succes in Duitsland.

Het was een beetje vreemd om hen weer te zien vertrekken. Voorlopig zou ik Sarah niet meer in de bak zien vechten met haar paarden, begreep ik.

Dat zou evengoed wennen zijn.

Nu is het avond. Morgen moet ik met Emil en Melvin praten. Ik ben nerveus voor de gesprekken, maar weet dat ik in mijn hoofd al de goede keuze heb gemaakt.

ZATERDAG 30 JULI

Een vreemde dag. Maar ook een mooie dag.

De hele dag was het zonnig en windstil, maar toch niet benauwd.

Nu is het middernacht en zelfs in mijn hoofd is het windstil, terwijl de vlinders vrolijk in mijn buik dartelen.

Ik was vanmorgen vroeg op en heb een stevige boswandeling met de honden gemaakt. Het was heerlijk buiten – sprookjesachtige mistsluiers die boven de grond zweefden, niet te warm, niet te koud – ware het niet dat we werden geconsumeerd door de muggen, die het feest van de zomer in grote getalen vierden. Maar ieder voordeel heb zijn nadeel. Ja… ik geloof inderdaad dat het Cruijff was, die dat zei. Al ben ik niet erg thuis in het voetbal.

Maar over thuis gesproken…

Eenmaal thuis belde ik Emil. Het was nog erg vroeg, maar ik was bang dat ik het anders niet meer zou durven. Mijn stem bibberde niet eens toen ik hem vroeg of hij tijd had voor een kop koffie. Ik zei zelfs niets stoms.

Emil klonk wat verbaasd, maar stemde toe.

We spraken af dat hij over een uurtje zou komen en ik heb zelden zo'n lang uur beleefd, waarbij ik doorlopend repeteerde wat ik wilde zeggen. Ik repeteerde ook zijn antwoorden en mijn reacties daarop, wat natuurlijk verspilde moeite was, want ik wist niet wat hij ging zeggen.

Toen hij dat verschrikkelijke uur later mijn huisje binnen liep, keken we elkaar een paar tellen zwijgend aan.

"Koffie?" vroeg ik. Ik kon moeilijk meteen de bom loslaten. Hij knikte en ging zitten.

Ik merkte dat ik een beetje bibberde toen ik de koffie maakte, maar slaagde erin – met moeite – om alles heel te houden, zodat ik slechts vijf minuten later met koffie tegenover hem kon gaan zitten.

Hij zag er nog steeds erg leuk uit. Te leuk.

"Ik moet iets zeggen…" begon ik aarzelend, terwijl alle gerepeteerde zinnen haastig in de kieren en gaten van mijn gehavende geheugen wegkropen.

"Ik wil eerst iets zeggen," zei Emil. Hij keek mij aan. "Ik heb besloten het aanbod in Australië aan te nemen."

Bham. Mijn hele redevoering naar de knoppen.

"Je gaat naar Australië?" vroeg ik.

"Het is een erg goed aanbod in een mooi land. Ik denk dat ik spijt krijg als ik het niet doe."

"Ik denk het ook," stemde ik toe.

Hij glimlachte en nam een slok koffie.

"Wanneer ga je?" vroeg ik.

"Zo snel mogelijk. Ik heb nog geen datum afgesproken, maar ik wil vanmiddag de vluchten bekijken."

Ik knikte. "Sarah vertrekt vandaag naar Duitsland," zei ik. "Maar ik neem aan dat je dat weet."

"Ja."

"Ga je nog naar haar toe?"

"Ja. Ik ga nog even afscheid nemen. Zij gaat naar Duitsland, ik naar Australië. Het kan lang duren, voordat we elkaar weer ontmoeten."

"Weet ze al dat je naar Australië gaat?"

"Nee. Ik wist het zelf nog niet."

Ik keek hem verbaasd aan.

"Ik hou de eer graag aan mijzelf," zei hij. Hij liet een scheef lachje zien. Het was nog steeds een leuke lach. "Ik zag het aan je gezicht. Je hebt je beslissing genomen."

Ik knikte.

Hij nam nog een slok koffie. "Zullen we het daarbij laten en gewoon gezellig over onzinnige onderwerpen praten, totdat ik vertrek?"

"Laten we dat maar doen," zei ik.

Het werd toch nog gezellig.

Toen Emil vertrok, wist ik dat hij rechtstreeks naar Sarah zou gaan. Zou hij zelf beseffen dat Sarah hem dierbaarder was dan hij zelf wilde geloven?

Ik stond bij de paarden in de wei, toen Sarah rond de middag met haar ouders vertrok en Emil hen uitzwaaide.

Sarah keek even naar mij en ik zwaaide ook maar.

Volgens mij grijnsde ze.

Er was natuurlijk nog iets wat ik moest doen.

Meteen na de middag belde ik Melvin op. Mijn zorgvuldig gerepeteerde inleiding klonk ongeveer zo:

"Melvin, met Molly."

"Hoi, Molly." Het klonk afwachtend.

"Ik had zo gedacht… Nou ja, ik wilde eigenlijk… Ik dacht dat…"

"Ja."

"Hoezo ja?"

"Als antwoord op de vraag die je wil stellen."

"Je weet nog niet welke vraag ik wil stellen."

"Het is altijd ja."

"Ik wilde je vragen om hier te eten."

"Ja."

"Spaghetti met bolognesesaus."

"Absoluut."

"Dapper."

"Spaghetti met bolognesesaus, wandelen met de honden, pilsje drinken, met je trouwen? Ik durf het allemaal aan."

Ik schoot in de lach. "Ho nu eens even. Als we eens beginnen met een etentje."

Melvin lachte zijn zonnige lach. "Goed dan."

Melvin kwam om zes uur. We aten spaghetti zonder te knoeien, liepen met de honden het bos in, dronken een pilsje in de wei en keken – zittend op een rots – naar de paarden, terwijl de zon achter de horizon verdween totdat slechts een intense rode gloed overbleef.

Hij hield mij vast en kuste mij. Zomaar.

En nu zit ik hier, midden in de nacht, met vlinders in de buik. Morgen zie ik hem weer.

En jij, lief dagboek… jou laat ik los.

Je werd geen trainingsdagboek, zoals bedoeld.

Maar het was fijn om met iemand te praten, die niet met verstandige adviezen kwam.

Ik heb het namelijk niet zo op verstandige adviezen.

En misschien begin ik ooit een echt trainingsdagboek.

MEER LEZEN?

Uitgeverij Cupido publiceert heerlijke (ont)spannende liefdesromans, vrolijke chicklits en eigentijdse romantische familieromans.

Vrouwen van alle leeftijden kunnen genieten van onze Lekker-lui-lezen-romans, die uitsluitend geschreven worden door vrouwelijke Nederlandse top-auteurs.

Onze boeken hebben allemaal een positieve en vrolijke kijk op het leven en natuurlijk is er altijd een Happy Ending. Want iedere vrouw houdt diep in haar hart van romantiek, maar dat schiet er in het drukke leven van alledag wel eens bij in.

Lekker languit op de bank of ondergedompeld in een warm bad even heerlijk wegdromen met een goedgeschreven boek vol humor en romantiek…

Zo kun je ontspannen en jezelf weer opladen voor de drukke dag van morgen.

** Voor leesbrilhaters en vrouwen die het wat minder kunnen zien, verschijnen onze boeken ook in een mooie gebonden groteletter-editie.

** Daarnaast hebben we ook een groeiende serie e-pubs.

Meer informatie op www.uitgeverijcupido.nl

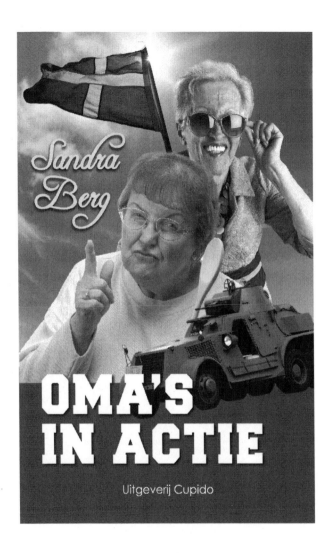

OMA'S IN ACTIE - SANDRA BERG

Oma Greetje bedenkt samen met haar vriendin een
spectaculaire actie om haar vermiste kleindochter Abby
terug te vinden...
Een vrolijke roman die zich afspeelt in Zweden.

Marte Jongbloed

ZOETE *passie*

ZOETE PASSIE - MARTE JONGBLOED

In de zonnige Provence ontmoet Pom niet alleen de razendknappe Franse hartenbreker Didier, maar ze ontdekt ook een oude snoepfabriek die te koop staat...

POESLIEF - ANITA VERKERK

Op het zonnige Canarische eilandje Lanzarote ontdekt
Rachel een zwerfpoes die hoog in een palmboom zielig zit te miauwen. Rachel schiet de kat te hulp, maar
durft dan zelf ook niet meer naar beneden.
Gelukkig komt de knappe Elwin haar te hulp...

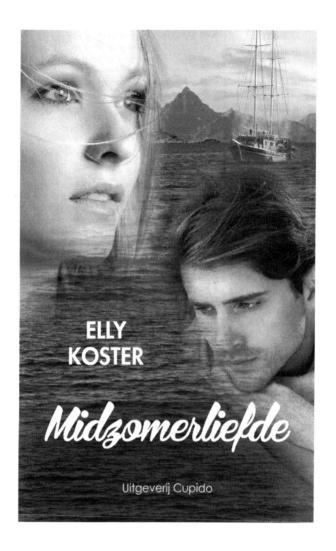

MIDZOMERLIEFDE - ELLY KOSTER

Als Annemijn een oud dagboek in handen krijgt, gaat ze in het land van de Middernachtzon op zoek naar haar familieverleden... Een ontroerende liefdesroman die zich afspeelt in Noorwegen.